dtv

D1133353

Es sind weder die Situationen noch die Ereignisse, die das Besondere an Walter Kappachers Literatur ausmachen. Es ist vielmehr, wie Peter Handke es charakterisiert hat, »eine Expedition des Schreibens, wie man sie sich abenteuerlicher nicht wünschen kann«.

So ist auch die Ausgangssituation für Kappachers Roman ›Selina‹ unspektakulär: Stefan, Lehrer, nimmt das Angebot Heinrich Seifferts – den er im Jahr zuvor in Arezzo kennen gelernt hat – an, in sein altes abgelegenes Bauernhaus in der Toskana zu ziehen. Der Leser erlebt, wie Stefan sich das Haus und die Umgebung bewohnbar macht, wie er bekannt wird mit den Menschen im Dorf, wie er Heinrich besucht, der seine Nichte Selina aus Deutschland erwartet. Es sind die Jean-Paul'schen Themen Liebe, Tod und Unsterblichkeit, die sich langsam entwickeln.

Hinter der scheinbaren Beiläufigkeit von Kappachers Erzählen steht tiefer Ernst. Unnachgiebig zwingt der Autor den Leser zur Besinnung. In seinen Texten herrscht eine Ruhe, in der wir unser eigenes Herz schlagen hören.

Walter Kappacher, geboren 1938 in Salzburg. Seit 1978 freier Schriftsteller. Lebt in Obertrum bei Salzburg. Zahlreiche Auszeichnungen, u. a. Hermann-Lenz-Preis 2004, Großer Kunstpreis des Landes Salzburg 2006, Georg-Büchner-Preis 2009, Mitglied der Deutschen Akademie für Sprache und Dichtung und der Bayerischen Akademie der schönen Künste. Zuletzt erschienen: ›Hellseher sind oft Schwarzseher‹ (2007) und ›Der Fliegenpalast‹ (2009).

Walter Kappacher

Selina
oder Das andere Leben

Roman

Deutscher Taschenbuch Verlag

Von Walter Kappacher
sind im Deutschen Taschenbuch Verlag erschienen:
Silberpfeile (13873)
Morgen (13874)

Ausführliche Informationen über
unsere Autoren und Bücher
finden Sie auf unserer Website
www.dtv.de

Oktober 2009
3. Auflage Januar 2010
Deutscher Taschenbuch Verlag GmbH & Co. KG,
München
Lizenzausgabe mit Genehmigung von Deuticke
im Paul Zsolnay Verlag Wien
© Deuticke im Zsolnay Verlag Wien 2005
Umschlagkonzept: Balk & Brumshagen
Umschlaggestaltung: Lisa Helm unter Verwendung eines Fotos
von plainpicture/Millenium/Philippe Vandenbroeck
Satz: Eva Kaltenbrunner-Dorfinger, Wien
Druck und Bindung: Druckerei C. H. Beck, Nördlingen
Gedruckt auf säurefreiem, chlorfrei gebleichtem Papier
Printed in Germany · ISBN 978-3-423-13872-7

*... wäre ich vor zwanzig bis fünfundzwanzig
Jahren zum ersten Male und dann öfter nach
Italien gekommen, so wäre auch aus mir
etwas geworden.*

ADALBERT STIFTER

*Ein ewiges Wesen zusehend einem Wesen,
das über seine Vernichtung nachsinnt.*

JEAN PAUL

»Langsam«, sagtest du, »kann ich mir vorstellen, was Sie hierher zieht. Ich weiß nicht einmal, wie Sie meinen Onkel, wie Sie Heinrich kennengelernt haben ...«
Wir waren die wackelige Steintreppe zum vorderen Hauseingang hinaufgestiegen und damit von der Sonne in den Schatten geraten. Ich ließ dich vorangehen, und wie Heinrich bei seinem ersten Besuch bei mir in Mora, im letzten Sommer, ergriffst du auf halber Höhe meinen Arm. Beinah wärst du gestrauchelt, du hast gezögert, dich halb herumgedreht, dein Haar streifte meine Wange. Zum ersten Mal hast du die dunkle Sonnenbrille abgenommen, auf den Osthügel hinübergeschaut, wo hoch oben am Hang in dem kleinen, auf Terrassen angelegten Olivenhain weibliche Stimmen zu hören waren. Ich sagte, im Jahr zuvor habe es überall im Haus hereingeregnet. Weil Mario unzuverlässig sei, hätte ich selber mit dem Auto vor drei Wochen Dachziegel besorgt und die schadhaften ausgewechselt. Sicher habest du bemerkt, daß überall ums Haus herum noch Bruchstücke lägen, ich habe die schadhaften Ziegel einfach vom Dach geworfen. Schwalben flitzten über den Wiesenplatz vor dem Haus, hinunter zum Bach. Damals, Selina, im Juli, als du zum ersten Mal nach Mora kamst. An diesem Tag hätte ich mir nicht vorstellen können, daß das Du zwischen uns je möglich sein würde. Du warst mir nicht geheuer, als ich dich früh-

morgens in Arezzo abholte und nach Pontenano hinaufbrachte; dein Schweigen hat mich verunsichert, ich bildete mir ein, ein Mißtrauen zu spüren, das ich mir nicht erklären konnte.

Anfang September, als ich manchmal bereits überlegte, meinen Aufenthalt in Mora vorzeitig abzubrechen, hat Mario mittels Pfosten das schon im letzten Sommer versprochene Geländer an der Treppe angebracht, die Steinquader mit Mörtel befestigt und die Ritzen verfugt. Ich weiß nicht, ob du die Ameisenschar – seit langer Zeit die wirklichen Bewohner des Hauses – bemerkt hast, wie sie, aus den Hohlräumen im Innern der Treppe den krummen Stamm des Feigenbaums hinaufzogen, dessen Zweige und Blätter teilweise an der Hausmauer auflagen. In deiner Gegenwart stellte ich lieber keine Überlegungen an, welche Tiere die Hohlräume und Spalten dieser Stiege und auch des unteren Teils der aus großen Steinen errichteten Hausmauern bevölkerten. Unwetter von unzähligen Jahren hatten die Mörtelfugen besonders der Nordseite zerbröseln lassen. Außer Ameisen und Käfern beobachtete ich vor allem Eidechsen und kleine Skorpione. Mir fällt ein, wie Heinrich sich im Frühsommer auf deinen Besuch gefreut hatte; andererseits befürchtete er, du würdest ihn – wie schon in Briefen – drängen, die beiden Häuser endlich zu verkaufen und wieder nach Deutschland zu ziehen.

»Was war das für ein Geräusch?« fragtest du. Wir schienen aus der Zeit geraten zu sein. Ich sagte nach einer Weile – die Stimmen oben am Hang waren jetzt deutlicher zu hören, manchmal waren sogar Wörter zu verstehen –, es komme vermutlich aus dem Obstgarten des von hier aus unsichtbaren Anwesens der Castellis, jenseits des Tal-grundes. Ich würde annehmen, etwas um Vögel zu ver-treiben, eine Art Windspiel vielleicht, und setzte hinzu, ich würde den feinen Klang des Gongs schon gar nicht mehr hören, manchmal verwehe der Wind den Laut, er scheine dann aus einer anderen Richtung zu kommen. (Als ich dich am Bahnhof von Arezzo zum Zug brachte und vor einer Durchsage ein Gong hallte, hast du mir zu-gelächelt.)

Zum ersten Mal löste sich nun die Starre in deinem Ge-sicht; ich vermied es, auf die kaum merkliche Narbe zu sehen, die vom linken Ohr bis zum Unterkiefer verlief. Du hast tief Luft geholt, für einen Moment die makellose Reihe deiner, wie mir vorkam, winzigen Zähne, gezeigt und gesagt: »Ich hatte keine Ahnung, daß Heinrich ein zweites Anwesen besitzt«, und dabei hast du hinunter auf das im Schatten stehende Tischchen neben der Treppe ge-schaut, auf dem die beiden Bücher lagen, die du in die Hand genommen hattest, nachdem wir aus dem Auto gestiegen waren: Senecas *Kleine Dialoge* und *Die Verkür-bissung des Kaisers Claudius*.

Während wir die letzten zwei Stufen hinaufstiegen, fiel mir Heinrich ein. Als ich ihn im letzten Sommer chauffiert, nach Terranuova zu seinem Arzt gebracht hatte, meinte er, seine Nichte sei *unbelesen*. Einmal hatte er auch erwähnt, sie sei nach dem Autounfall vor einigen Jahren »psychisch unstabil«. (»Meine Schwester hat für Jean Paul geschwärmt«, hatte er gesagt, »deshalb der Name Selina. Doch die gleichnamige Schrift von Jean Paul hat meine Schwester sicherlich nie gelesen.«) Als du nun, bevor wir ins Haus gingen, das Buch aus der Hand gelegt hast, sagtest du: »Herrliche Satire, nicht wahr?« Ich erwiderte rasch, ich hätte erst kurz in das Buch hineingeschaut, und erzählte, wie die Schrift *Das glückliche Leben*, als ich etwa achtzehn Jahre alt war, mein Interesse für philosophische Texte geweckt habe. Es seien ja Schriften nicht in Dialog-, sondern in Briefform. Darüber habe ich mit Heinrich mehrmals geredet. Daß die beiden Bändchen aus seiner Bibliothek stammten, erwähnte ich nicht. Von meinem zweiten oder dritten Besuch an, in Pontenano oben, hatte Heinrich mich jedesmal beim Abschied gefragt, ob ich mir nicht etwas ausleihen wolle. Wenn ich ihm dann beim nächsten Mal ein Buch zurückbrachte, legte er es eine Weile lang nicht aus der Hand, als wolle er ihm sein eigenes Fluidum zurückgeben.

»Nichts für mich!«, hast du gemeint, als ich dir (du wolltest auch das sehen) das Grubenklo auf einer der Terrassen gezeigt habe, auf der die tief herabhängenden Zweige eines mächtigen Maronibaums das Örtchen verdeckten. Schließlich meine Campingdusche, ein Plastiksack mit Schlauch und Düse, der zehn Liter Wasser faßte und den man vor dem Gebrauch, wenn man warmes Wasser wollte, einige Stunden in die Sonne hängte.

Später, als wir uns vors Haus setzten und Wasser tranken, sprachst du von San Galgano, wohin du drei Tage zuvor mit Heinrich einen Ausflug unternommen hattest. Ich konnte nicht mitreden, hatte bloß eine Abbildung der Abtei in meinem Toskana-Führer gesehen, glaubte jedoch zu verstehen, als du sagtest, du hättest nie zuvor eine Kirche so sehr als einen sakralen Raum erlebt, obwohl es sich hier ja mehr oder weniger um Überreste handelte einer Kathedrale ohne schmückendes Beiwerk, ohne Dach vor allem. Du hast in den Schriften Senecas geblättert. Als ich Heinrichs Aussage erwähnte, hast du gelächelt: »Mit Heinrich kann keiner mithalten; andererseits weigert er sich, die zeitgenössische Literatur, speziell jene von Frauen verfaßte zur Kenntnis zu nehmen. Naja, ganz stimmt das nicht«, hast du hinzugefügt, »auf einem Tisch sah ich Christa Wolfs Erzählung *Kassandra*.«

»Vielleicht kennen Sie Heinrich besser als ich«, hast du gesagt, »ich habe ihn in den letzten fünfzehn Jahren nur zweimal kurz in Düsseldorf gesehen; seit vielen Jahren ist er nicht mehr nach Deutschland gereist.«

Auf der Rückfahrt abends in der Dämmerung nach Pontenano, die Paßstraße hinauf, sagtest du, du hättest vor, im nächsten Juni wiederzukommen; du wolltest es so einrichten, den Sommer über in Pontenano bleiben zu können, auch um den Nachlaß deines Onkels zu regeln. (Nein, das war natürlich drei Wochen später, als du nach Heinrichs Tod neuerlich ins Valdarno kamst.) Vor fünf Jahren hättest du zum ersten Mal nach Pontenano kommen und einige Wochen bleiben wollen, doch dann am Tag vor der Reise deine fünfjährige Katze Laila vor der Garage getötet, als du den Wagen im Retourgang herausgefahren hast; seither habe sich in deinem Kopf der Gedanke an die Toskana jedesmal mit diesem schrecklichen Ereignis verbunden.

Immer noch hoffe ich, ihr würdet euch nicht so schnell entschließen, die beiden Anwesen zu verkaufen, und ich könnte dich im nächsten Sommer tatsächlich im Valdarno begrüßen und würde Zeit gewinnen, alles noch einmal zu überdenken. Mein *Freijahr* dauert noch bis zum Mai nächsten Jahres, und da Anfang Juli ohnehin die Ferien anfangen, würde es sicherlich eine Lösung geben, damit ich frühestens im September wieder in den Schuldienst müßte.

Vor zwei Jahren, Ostern 1985, zeitig in der Früh, hatte er das Hotel in Arezzo ohne Frühstück verlassen, hatte im Foyer einige Male »Hallo« gerufen, ehe eine Frau im Morgenmantel und mit nassen Haaren erschien und ihm die Rechnung schrieb. Die Luft war frisch, angenehm kühl. Zum ersten Mal roch er den eigenartigen Morgengeruch dieser Stadt, der ein unbestimmtes Verlangen in ihm weckte. Wenige Menschen waren unterwegs gewesen, eilig einem Ziel zustrebend, als er, den Bahnhof in Sichtweite, die beiden Ausfallstraßen überquerte, zwischen denen eine mit Bäumen bepflanzte Promenade verlief. Nur ab und zu näherte sich ein Auto, die Ampeln vor dem Fußgänger-Zebrastreifen waren bereits eingeschaltet, blinkten gelb. Aus weiter Ferne war eine Sirene zu hören und aus dem Bahnhof, dessen Eingangstore offen standen, hallten Lautsprecherdurchsagen. Ein Zug war angekommen, einige Reisende, übernächtig wirkend, traten mit ihren Gepäckstücken aus der Halle und orientierten sich, wandten sich dem Taxistandplatz zu. In der Bar besetzten gerade junge Leute, Österreicher wie zu hören war, die wenigen Tische, so daß Stefan, nachdem es ihm gelungen war, im Gedränge an der Theke eine Tasse Kaffee zu erhalten, den alten Herrn, der im Hintergrund allein an einem Tisch saß und frühstückte, fragte, ob er sich zu ihm setzen dürfe. Für einen Moment blickte der Mann in seiner mantellangen Lederjacke von seiner Zeitung auf, lud ihn mit einer Handbewegung ein, schob den Teller mit dem halben Schinken-Panino näher zu sich, schien Stefans Frage, die dieser auf italienisch gestellt hatte, zu prüfen, sah ihn noch einmal an und trank seinen Kaffee aus. Stefan hatte ihn zuerst für einen Deutschen gehalten, aber andererseits las der Mann eine italienische Zeitung. Er genierte sich für seine Landsleute, die das ganze Lokal mit ihrem übermütigen Geschrei beherrschten; einige Italiener, die an der Theke Kaffee tranken und in ihren gefalteten Zeitungen lasen, blickten immer wieder zu ihnen hin. Eine junge Frau in einem indischen Kleid versuchte ihr schreiendes Baby zu beruhigen, während ihr Begleiter im Tiroler Dialekt sie anschrie, wo sie denn das Mineralwasser versteckt habe. Aus ihrem Reden erfuhr er, daß sie hier umstiegen, um nach Cortona zu gelangen, wo am Abend ein Konzert mit Konstantin Wecker stattfinden sollte.

Es wurde Zeit, er stand auf und suchte in der Halle den Ständer mit den internationalen Fahrplänen, überprüfte, wann der Zug in Rosenheim ankommen würde. Auf dem Bahnsteig war durch einen Lautsprecher, aus dem zwei krächzende Durchsagen gleichzeitig zu hören waren, eine zwanzigminütige Verspätung angesagt worden. Etwas übernächtig ging er in der schneidenden Kälte zwischen Italienern, manche in kurzärmeligen Hemden, auf und ab. Auf einmal verspürte er Lust zu bleiben, die fremde Stadt zu erkunden, aber Monika, so überlegte er, würde am Abend in Salzburg am Bahnsteig auf ihn warten. Da sie die Woche bei ihren Eltern in Gmunden verbrachte, wäre es schwierig, sie telefonisch zu erreichen.

Dann sah er Heinrich Seiffert in der sandfarbenen Lederjacke wieder, und bald darauf sprach dieser Stefan an, indem er ihn fragte, ob es eine Durchsage, den Zug aus Deutschland betreffend, gegeben habe, er höre schlecht. Der Zug sei schon mehr als zwanzig Minuten verspätet. Stefan erwiderte, er könne diese Durchsagen kaum verstehen. Während sie, als gehörten sie zusammen, nebeneinander auf und ab gingen, vorerst nichts redeten, dachte er, am liebsten würde er sich jetzt doch ins Zentrum der Stadt begeben, in einer Bar einen weiteren Kaffee trinken und eine dieser mit Marmelade gefüllten Mehlspeisen essen, und würde diese Stadt, die Altstadt, in der er nie gewesen war, durchwandern und besichtigen. Es mußte ein Museum mit etruskischen Funden geben. Etwas an dem hageren alten Mann belustigte ihn: Als er ihn zuerst auf dem Perron erblickte, schwang er seine Arme herum, und da er die Hände zu Fäusten geballt hatte, sah es aus, als halte er eine unsichtbare Stange in den Händen oder als mähe er eine Wiese.

Während sie auf und ab gingen, begann Seiffert plötzlich zu erzählen: Er warte auf seine Nichte aus Düsseldorf, die ihn für eine Woche besuchen werde. Seit siebzehn Jahren lebe er hier in der Gegend, habe ein Haus in Pontenano bei Talla. Der Ort sei von Arezzo aus sowohl über Castiglion Fibocchi, einem erhöht an den Abhängen des Pratomagno-Gebirges liegenden Städtchen an der Straße nach Florenz als auch über Talla zu erreichen. Er hoffe, daß es jetzt wärmer werde; nirgendwo habe er in seinem Leben so gefroren wie in Italien ... Diese Gegend des Casentino, des Arnotales, werde ihm wahrscheinlich wie den

meisten unbekannt sein. Er habe sie unter anderem deshalb als Wohnort gewählt, weil sich kaum jemand dorthin
verirre, außer vielleicht Kunsthistoriker, die es auf roma-
nische Kirchen oder solche, die auf etruskischen Tempeln
errichtet worden waren, abgesehen hätten. Mehr oder
weniger, sagte er und rieb sich die Hände, seien – ausge-
nommen die Unterhaltungen mit den Nachbarn in dem
kleinen Ort über das tägliche Einerlei – die römischen Autoren sein einziger Umgang. Vergil, Horaz … Er brach ab,
als sei er sich bewußt geworden, daß er Stefan damit möglicherweise langweile oder überfordere. Der Alte ist so
vereinsamt, dachte Stefan, daß er sich, nur um reden zu
können, fremden Leuten anvertraut, und erwiderte, indem er seine Reisetasche hochhob, darin befinde sich Her-
mann Brochs Vergilroman; völlig durchfroren habe er am
Vorabend die Fahrt von Neapel zum Brenner – und damit
die Lektüre – hier unterbrechen müssen; im Zug seien
sämtliche Waggons ungeheizt gewesen. Auf der Herreise
habe er einen Band über *Mozart in Italien* gelesen. Sein
Bruder, erklärte er, sei Filmregisseur, er plane für das kom-
mende Jahr einen Fernsehfilm über Mozarts italienische
Reisen. Daß er Lehrer sei und mit Franz zusammen das
Drehbuch schreiben wolle und sich deswegen schon einmal in Rom und Neapel umgesehen habe, erwähnte er
nicht, setzte jedoch hinzu, Mozart sei nie nach Arezzo gekommen, auf dem Weg von Florenz nach Rom sei er über
Siena auf der alten Via Cassia gereist. Seiffert schien nicht
beeindruckt. »Arezzo«, rief er, »niemand kennt diese
Stadt. Wahrscheinlich ist das ein Glück.« Hauptsächlich,
fuhr er fort, beschäftige er sich seit Jahren mit dem Werk

Petrarcas. Diesen Autor habe er zeitlebens sehr vernachlässigt. »Dort oben« – er deutete vage – »steht ein grauenhaftes Denkmal, und ein Haus, das sie fälschlicherweise als Petrarca-Haus bezeichnen … Haben Sie je ein Denkmal aus der Neuzeit gesehen, das nicht scheußlich ist?«

Ein Lokalzug nach Florenz war angekommen und abgefahren, und nun waren sie die einzigen Menschen auf dem Bahnsteig. Eine Durchsage meldete endlich die Ankunft der beiden aus entgegengesetzten Richtungen eintreffenden Züge. Als die Formation der Wagen aus südlicher Richtung sich langsam und lautlos näherte, und sich, das Geleise wechselnd, über Weichen schlängelte, sagte er, nachdem er sich schon verabschiedet hatte, es sei schon lange sein Wunsch, einmal einige Wochen in einem Privathaus oder einer kleinen Pension in so einem Dorf in der Toskana oder in Umbrien zu verbringen; er habe manchmal bereits in Katalogen von Agenturen geblättert. Merklich begann jetzt die über einem Hügel sichtbar werdende Sonne die Luft zu erwärmen, und wieder wünschte er, bleiben zu können. Er stellte sich vor, daß in Arezzo nicht solch ein Rummel herrsche wie in Rom oder Neapel. Selina, seine Nichte, habe ihn noch kein einziges Mal besucht, sagte Seiffert und nieste mehrmals heftig. Er werde in diesem Jahr dreiundsiebzig. Erich, Selinas Mann, falle zu Italien nichts ein als das Wort Nepp. Während Stefan sich wieder nach seinem sich nähernden Zug umdrehte, sagte er, er habe vor, eventuell im Sommer für drei Wochen nach Florenz zu kommen, er kenne die Stadt nur flüchtig. Da bot Seiffert ihm an, ihm mit seinem Fiat ein wenig das Valdarno zu zeigen. »Falls Sie in die Gegend kommen, melden Sie sich einfach«, sagte er, und zog ein Kärtchen aus seinem Portemonnaie. Nach Talla, wo er ihn abholen könne, verkehre von Arezzo aus eine Kleinbahn in Richtung Poppi: von diesem Ort habe er vielleicht schon gehört, die Schlacht bei Romena, nicht? Die Burg, in der Dante Alighieri sich mehrere Jahre aufgehalten habe.

Im Dunklen tastete er sich voran, um die Läden im kleinen Zimmer zu öffnen. Muffig-feuchter Geruch. Mit dem Ellbogen streifte er die Tischplatte, auf der in Plastikfolie verpackt Bettwäsche und Decken lagen. Das Nachmittagslicht flutete herein, blendete. De vita beata. Vorhin, als er mit Mario aus dem Wagen gestiegen war und im Gras stand, hatte er es, benommen von der langen Fahrt, gerufen und sich dafür beinahe geniert. Der Geruch nach Blütennektar, Kräutern, das Licht, das Geratsche der Zikaden. Durch das hüfthohe Gras hatte er den Wagen auf der Wiese vor dem Haus in einem weiten Bogen gewendet (hier würde er ohnehin gleich mähen), ihn vor der Steintreppe angehalten. Das alte Haus: es war, als habe er sich einem lebendigen Wesen genähert, auf das er sich gefreut hatte. Jetzt nur noch eine Dusche und mich draußen mit einem Glas Wein in die Sonne setzen, dachte er, bevor, in einer Stunde ungefähr, der Hügel sich vor sie schieben wird. Allerdings näherten sich Wolkenfetzen aus der Richtung des Pratomagno. In der quadratischen Mauernische neben der Türöffnung des kleinen Zimmers, einer zugemauerten früheren Fensteröffnung, wo man die Dicke der Steinmauer erkennen konnte, sah er, daß die zurückgelassenen Bücher unter der Winterfeuchte gelitten hatten. Der Vittorini, der Pavese, beide auf italienisch. Er nahm Kleists Briefe in die Hand, die Blätter gewellt. Am nächsten Tag würde er die Bücher in die Sonne stellen und dann pressen. Den Bulwer-Lytton hatte er auf englisch mitgebracht.

Mario war nicht zu sehen, er saß auch nicht auf den Steinstufen. Jedesmal vergaß er, daß Mario ohne ausdrückliche Einladung das Haus nicht betrat. Nachdem Mario ihm am Treppenabsatz oben die Funktion des neuen Türschlosses erklärt hatte, entschuldigte er sich für ein paar Minuten, verschwand in die Büsche. Als hätte er verstanden, daß Stefan das Haus erst einmal lieber allein betreten und begrüßen wolle. Auf den Böden überall Mäusedreck, besonders in der Küche. Nachdem er die Läden im großen Zimmer geöffnet hatte (das mit einem etwas größeren Fenster ausgestattet war) und sich weit hinausbeugte, um sie seitlich an den eingemauerten Haken zu fixieren, sah er Marios Kopf über dem völlig zugewachsenen Brunnen. Trotz des lauten Zikadenlärms hörte er das Wasser in das kleine Bassin plätschern, das Mario im vorigen Sommer, ein paar Tage vor Stefans Heimreise aufgemauert hatte; also würde er sich nach dem Ausladen und Herauftragen des Gepäcks waschen können. Obwohl die Fensteröffnung nach Osten ging, flutete das Licht herein, brachte den Ziegelboden zum Leuchten, auf dem zertretene Nußschalen und vertrocknete Reste von Weintrauben herum lagen. Mario hatte im Winter wie besprochen die Räume mit Kalk ausgemalt. Es roch nach abgestandenem Essig: Im hinteren Teil des Raums stand die unverschlossene 5-Liter-Wein-Bouteille, in der sich wohl noch ein Rest befand. Aus welcher Fensteröffnung er auch blickte: seine wochenlangen Rodungsarbeiten vom letzten Sommer schienen völlig umsonst gewesen zu sein; rund ums Haus sah es genau so aus wie vor einem Jahr. Beim Ausgraben und Ausreißen der Wurzeln dieser Dornengewächse hatte er sich eine Sehnenscheidenentzündung zugezogen. Schon als sie zum Haus heruntergefahren waren, hatte er festgestellt: Die Zufahrt war so verwildert wie bei der ersten Ankunft im letzten Jahr, und er zweifelte, ob es ihm je gelingen würde, über diesen Wildwuchs Herr zu werden. Während der Fahrt hatte Mario berichtet, daß er im Winter die Schlauchleitung von der Quelle im Wald bis zum Haus gelegt habe. Die Schläuche mit ihren elf Verbindungsstücken müßten bald in die Erde eingegraben werden, die Flansche jedoch offen liegen bleiben: Es werde immer wieder Luft in den Schlauch gelangen, dann sei die Zufuhr unterbrochen und es müsse entlüftet, jeder Verbindungsflansch abgeschraubt werden. Dieses Problem ergebe sich eher im Hochsommer, wenn die Quelle spärlich Wasser führe. Er rate ihm, wegen der Schlangen entlang der Schlauchverbindung einen Weg auszumähen und öfter zu begehen, damit er nicht versehentlich auf eine trete. Im übrigen vermute er, daß die Quelle sich bereits auf dem Nachbargrundstück befinde, aber das spiele keine Rolle. Er könne sich gut erinnern, wie in seiner Kindheit in Mora das Wasser mit einem Ochsengespann habe herbeigeschafft werden müssen. Vielleicht könnte man später auch einmal eine Leitung ins Haus, in die Küche, legen.

Jetzt saß Mario auf dem ersten Treppenabsatz, knüpfte sich die Schuhbänder. »Wie du gesehen hast«, sagte er, »sind die Fensterrahmen eingehängt, die Scheiben bringe

ich in den nächsten Tagen, der Glaser hat sie schon zuge-
schnitten.« Stefan hatte sich vorgestellt nach dem Ausladen der Sachen das Auto in die Zufahrt zu stellen, die ihm
diesmal im unteren Teil beim Herunterfahren wie ein zu-
gewachsener Hohlweg vorgekommen war. Vor dem Haus
würde er eine Fläche ausmähen, dann die Matratze zum
Auslüften und Trocknen heraustragen, eine Leine span-
nen von der jungen Eiche bis zu dem nächsten Olivenbaum auf der Wiese, die Bettwäsche und die Decken zum
Trocknen aufhängen. Mario verabschiedete sich, lud ihn
für den übernächsten Abend zum Essen ein. Morgen seien
die Kinder bei ihm, Lena habe Geburtstag, ihren zwölften.
Als Mario nach Seiffert fragte, fiel Stefan ein, daß er vergessen hatte, ihn vom Haus Marios aus anzurufen, ihm
seine Ankunft zu melden.

Über den höchsten sichtbaren Erhebungen des Pratomagno im Nordwesten lichteten sich die Wolken. Es war erst acht Uhr, aber es dämmerte schon. Die Blätter der Olivenbäume vor dem Haus glitzerten, leicht vom Wind bewegt; die von einer Wolke verdeckte Sonne war hinter dem Hügelzug im Westen verschwunden. Er saß etwas durchnäßt auf der untersten Treppenstufe; bald würde er sich waschen und zum Schlafen hinlegen. Vielleicht wäre es nicht nötig gewesen, überlegte er, den Wagen hinaufzufahren zur Straße; hätte es jedoch stärker geregnet und weiter die Nacht durch, hätte er am nächsten Tag nicht einkaufen fahren können; die Räder würden – wie im letzten Sommer einmal – auf dem lehmigen Steilstück des Weges durchdrehen. Die Wiese vor dem Haus hatte er ein wenig ausgemäht, die paar Möbelstücke aufgestellt, die Matratze zum Auslüften darauf gelegt. Drinnen trockneten die Ziegelböden, die er gefegt und naß gewischt hatte. Er freute sich, den neuen Tisch im kleinen Zimmer aufzustellen: Die Holzplatte und die beiden Holzschragen, die er mitgebracht hatte. Einerseits vermochte er die Augen kaum noch offen zu halten, andererseits fürchtete er, nicht einschlafen zu können, erinnerte sich an das letzte Jahr, als ihm stundenlang die Autobahnfahrt durch den Kopf gegeistert war: Sobald er die Augen geschlossen hatte, raste die Asphaltdecke auf ihn zu, schoß er auf der Überholspur in die Lücke zwischen Schwertransportern und Leitplanken. Vor dem Schlafengehen mußte er in der Küche noch die mitgebrachten Nahrungsmittel, vor allem den Brotlaib, in Säcken am Dachbalken aufhängen.

Es wurde dunkel. Fledermäuse flatterten und kreisten jetzt über ihm, seit vielen Jahren boten die Ställe ihnen Unterschlupf. Er ging noch einmal in den Stall auf der Südseite des Hauses, dem einzigen verschließbaren, wo er die Gasflasche, den Campingkocher, die Sense und den Werkzeugkasten untergebracht hatte. Als er den fest zugeschraubten Verschluß der Gasflasche mit dem Schraubenschlüssel ein wenig aufdrehte, zischte es: Der Tee am nächsten Morgen war gesichert.

Während er voriges Jahr ein Fremder gewesen war, hatten sie ihn diesmal gegrüßt, als er die kleine Piazza betrat und sich dem Haus von Mario näherte. Sonst spielten oft Kinder auf den Stufen der Außentreppe, zeichneten und malten oder erledigten dort ihre Hausaufgaben. Der Schlüssel steckte im Schloß, aber Mario schien nicht zuhause zu sein. Vielleicht arbeitete er doch an seinem Neubau am Dorfrand und hatte Stefans Rufen nicht gehört, als dieser auf der Herfahrt vor dem riesigen Sandhaufen am Straßenrand angehalten hatte. Als er noch einmal etwas fester klopfte, hörte er: »Chi è?« Er öffnete die Tür; Mario erschien aus dem hinteren Zimmer: »Ah, Stefano!«, schnallte sich den Gürtel zu, war unrasiert, wirkte um Jahre gealtert und erklärte ihm nach der Begrüßung, seine Frau sei im Februar gestorben. Die Kinder habe er vorläufig bei Nachbarn und Verwandten untergebracht. Stefan drückte seine Hand. Als er um den Schlüssel für Mora bat, erwiderte Mario, er komme mit, wolle ihm zeigen, was er im Winter und im Frühjahr alles am Haus gerichtet habe.

Sie fuhren auf dem steinigen Karrenweg, der zuerst wie ein Saum unterhalb von Gello um den Ort herumführte, dann in geschotterten Kurven den Hügel hinauf zum Friedhof, vor dessen gekalkten Mauern er den Wagen anhielt. Überall Pfützen, es mußte vor kurzem geregnet haben. Mario öffnete die kleine schmiedeeiserne Tür und zeigte ihm das Grab; auf der Steinplatte lagen verwelkte Rosen. Zweiundvierzig Jahre war sie alt geworden.

Der Weg wurde noch schmäler. Er kurbelte die Fensterscheibe herunter. Die stachligen langen Zweige der Brombeersträucher, die den Weg säumten, wurden von der Wagenfront zuerst umgebogen, dann peitschten sie zum offenen Fenster herein, besprühten ihn. Nun konnte er Mario nicht mehr aufziehen (wie er sich, als er am Rohbau vorbeifuhr, vorgestellt hatte), daß er sich eine Villa baue wie ein Bankdirektor, denn vermutlich war die jahrelange Rackerei mit daran schuld, daß seine Frau so schwer erkrankt war. Wie sehr sie sparen mußten, hatte er im letzten Jahr begriffen, als sie ihm eine gebratene Taube auftischten und Francesca sie, nachdem er nur ein wenig daran genagt hatte, in Alu-Folie wickelte und in den Kühlschrank schob.

Sie erreichten den Parkplatz. Der einspurige Karrenweg war hier in der Kurve etwas verbreitert, so daß man durch mehrmaliges Lenkradeinschlagen sowie Vor- und Zurückrollen wenden konnte. Er steuerte an den linken Fahrbahnrand, bis das Vorderrad ein wenig den Böschungshang erklomm und der Wagen in Schräglage geriet, drehte das Steuer ganz nach rechts, um die schmale Zufahrt nach Mora hinunter nicht zu verfehlen. Der hohlwegartige Pfad fiel sofort steil ab, erster Gang, Fuß auf der Bremse, er war gerade so breit wie die Spur der Räder. Wenn ein Regen die Fahrspuren vermatschte und die Räder auf Lenkkorrekturen nicht mehr wie gewohnt reagierten, wurde es gefährlich. Ginsterbüsche, riesige Brombeerranken neigten sich in den Pfad herein, ein Zweig verspießte sich an der Zierleiste, riß sie ein Stück weit auf, wie er später bemerkte. Ihm fiel ein, wie Heinrich ihm vor zwei Jahren Mora hatte zeigen wollen. Sie hatten versucht, mit seinem Fiat hinunterzufahren, aber der Weg war zugewachsen, kaum zu erkennen gewesen. Nach fünfzig Metern hatte er den Wagen angehalten, die Tür war nur talseitig, wo das verwilderte Terrassen-Gelände steil abfiel, zu öffnen gewesen. Als sie sich fünfzig Meter durch Ginster und Brombeerbüsche gezwängt hatten, sahen sie, daß mitten auf dem Weg ein junger Olivenbaum wuchs, zu dickstämmig, um ihn ohne Säge beseitigen zu können.

Der Wein belebte ihn jetzt, lockerte die Nervenanspannung nach der elfstündigen Autofahrt. Beim Aufstehen spürte er, daß sein Rücken schmerzte, auch begann er zu frieren. Während er die Matratze mit einem Leintuch überzog, flogen zwei Fledermäuse herein, flatterten verschreckt umher. Vor dem Schlafengehen leuchtete er mit der Taschenlampe die Kalkwände ab, sah auf der Wand eine Schar von Ameisen vom Dachstuhl herunter ihren Weg ziehen, in eine Mauerspalte hinein, eine Stelle, wo Mario schlampig ausgemalt hatte.

Am staubigen, unebenen Ziegelboden ertastete er die Uhr und die Taschenlampe. Halb eins. Er war wohl sofort eingeschlafen, aber jetzt schon eine Weile wach, lauschte den Geräuschen nach, unheimlichen, käuzchenartigen Schreien, und erinnerte sich an den vorigen Sommer, als das Haus noch ohne Fenster und Türen war. Alles Brauchbare, hatte Mario erklärt, sei vor langer Zeit nach und nach weggetragen worden. Wie er jeden Abend, bevor er zu Bett ging, die Stalltür, gegen die er in den ersten Tagen mit der Spitze des Sensenblattes beim Mähen am Abhang unter der Terrassenmauer gestoßen war, von innen an den Türrahmen gelehnt und den Küchentisch dagegen geschoben hatte. Man konnte sich jedoch von der Steintreppe aus ohne weiteres zum vorderen Fenster hinaufhanteln und hereinklettern. Er hatte überlegt, einen dicken Prügel neben das Bett zu legen. In einer Nacht hatte er sich zusammenphantasiert, wie er einen Eindringling, der mit einem Messer auf ihn losging, mit diesem Prügel erschlug, ihn ins Auto zerrte und weit weg fuhr, wie er ihn im Finstern auf der Paßstraße Richtung Talla aus dem Wagen zog und den steilen mit Macchia bewachsenen Abhang hinunterstieß.

Vorigen Sommer hatte er sich auch manchmal auszumalen versucht, wie es wäre, wenn Monika ihn hier besuchen würde. Obwohl sie beide wußten, daß es richtig war, diese eheähnliche Beziehung zu beenden, daß sie beide zusehends an diesem Zusammenleben gelitten hatten, hatte er immer noch an sie gedacht. Wie hatte sie von der Toskana geschwärmt und immer wieder den Wunsch geäußert, mit ihm dorthin zu fahren, während ihm Italien seit jeher erst südlich von Rom reizvoll erschienen war. Wenn ihm jemand gesagt hätte, er würde in zwei Jahren längere Zeit in einem abgelegenen Haus in der Toskana leben, hätte er ihn ausgelacht. Einmal hatte Monika ihm ein aufgeschlagenes Reisemagazin, die farbige Doppelseite gezeigt, eine grüne, hügelige Landschaft mit der Überschrift *Die steirische Toskana*. Wie er ihr erklärte hatte, das südsteirische Hügelland sei sicher sehr schön, habe jedoch mit der Toskana nichts zu tun, wo denn etwa die großartigen Bauwerke seien, die Maler und Architekten, die berühmten Dichter, die Kunstwerke, welche die Toskana ausmachten? Was hätten ihre Freundinnen gesagt zu Gello Biscardo oder Mora? Wie würde sie sich ekeln vor den Mäusen und Spinnen und Fledermäusen, sich fürchten vor den Skorpionen und Schlangen. Sie, die sich krank fühlte, wenn sie sich nicht mindestens zweimal täglich duschen konnte. Wie würde sie sich langweilen hier, die es an keinem Ort, und sei er noch so *schön*, länger als ein paar Tage aushielt, die am liebsten, egal wohin, in alle Welt Zwei- oder Dreitagereisen unternahm.

Er drehte sich auf die andere Seite und überlegte, mit wem er hierherfahren und ein paar Wochen würde bleiben können. Monika hatte ihm nicht geglaubt, als er ihr im letzten Frühjahr sagte, er werde sich einen Wagen kaufen, damit in die Toskana fahren und das alte Steinhaus, wo er zu Ostern gewesen sei, bewohnen; der Besitzer habe ihn eingeladen …

Auch Heinrich schien überrascht, daß Stefan tatsächlich gekommen war. Den Führerschein habe er vor sechs Jahren gemacht, hatte er Heinrich erklärt, zusammen mit seiner Freundin, die dann sogleich ein Auto kaufte. Er habe, sagte er, im Leben kaum eine größere Wohltat gekannt, als tägliches stundenlanges Gehen; hingegen sei ihm das Laufen, als Volkssport, immer etwas lächerlich erschienen. Monika zuliebe habe er vor Jahren begonnen, manchmal kürzere Strecken im Auto zu fahren. »Daß ich nun hier bin«, hatte er gesagt, »verdanke ich also eigentlich ihr. Ohne die – freilich geringe – Fahrpraxis mit ihrem Renault hätte ich niemals ein Auto gekauft. Und da es, wie Sie selbst gesagt haben, praktisch unmöglich ist, mit dem Bus von Arezzo oder Florenz nach Gello Biscardo zu gelangen, abgesehen von all dem Gepäck, hätte ich Ihr Angebot, das Anwesen zu bewohnen, nicht annehmen können …« Seit Seiffert ihm letztes Jahr das völlig abgelegene Haus zwischen den hügeligen Abhängen des Pratomagno-Gebirgszuges, inmitten verwilderter Oliventerrassen, gezeigt hatte, war es ihm nicht mehr aus dem Kopf gegangen. Sofort hatte er den Eindruck gewonnen, sich an einem ganz besonderen Ort zu befinden. Mora gehörte zu Heinrichs Besitz, der aus zwei weit auseinanderliegenden *poderi* bestand, und war von Pontenano außer auf der Bergstraße über einen meist von Macchia überwachsenen und durch Wälder führenden Pfad über die Hügel zu erreichen.

Wenn im Raum Salzburg ab November Dunkelheit,

Nebel, Kälte und der Gestank der stadtnahen Industrie und des Fernheizkraftwerks täglich das Befinden beeinträchtigten, konnte er sich nun Erleichterung schaffen, indem er die Augen schloß und sich an einen Ort versetzte, an dem es zwar auch kalt sein konnte, wo der Winter jedoch frostfrei und kürzer war. Im Bauernhaus gab es bloß in der kleinen Küche einen Kamin. Wenn er sich in der trüben Zeit von Ende Oktober bis Mai tagträumend nach Mora versetzte, war es dort immer hell und sonnig; sogar bei Regen und Gewitter hatte die Gegend ihren Charme, und vor allem schien die Luft nicht verunreinigt, obwohl Florenz mit seiner industriellen Vorhölle bloß fünfzig Kilometer entfernt war. Manchmal lebte er in Salzburg im Kessel zwischen den nahen Stadtbergen zwei Wochen oder länger unter einer dichten Nebeldecke.

An solchen Tagen hatte er sich nun nach dem ersten Aufenthalt in Mora manchmal mit dem Nachbarn Marini, der ihn besuchte, in dem kleinen Olivenhain mit den vierzehn Bäumen nahe dem Haus stehen sehen: wie dieser ihm erklärte, daß er sie im nächsten Frühjahr beschneiden werde (er gebrauchte das Wort *Auslichten*), man müsse es im Frühjahr tun, bevor die *piante* in Saft gingen; dann wieder hatte er sich auf dem Weg vom Haus hinauf zur Straße befunden, hatte mit der Baumschere in den Weg hereinragende Dornenzweige beschnitten oder saß auf der Bank vor Marios Haus in Gello, um auf ihn zu warten, oder auf der Hausbank Marinis, mit dem Blick nach Südosten, wo in der Ferne Arezzo zu erkennen war.

An Mora, dem baufälligen Haus und den seit Jahrzehnten verwilderten Terrassen, hatte Heinrich gesagt, sei er nicht interessiert gewesen, doch das *podere* in Pontenano sei nur zusammen mit Mora verkauft worden. Da der Preis so lächerlich gering gewesen sei, habe er den Vertrag unterschrieben. Der Bürgermeister von Castiglion Fibocchi habe ihn auf das *podere* aufmerksam gemacht, als er sich nach seiner Pensionierung mehrere Wochen auf der Suche nach einem Haus in dieser Region der Toskana aufgehalten habe. Der Besitz habe zwei uralten Damen gehört, die vor Jahren verstorben waren. Sie hätten in Mailand gelebt und nicht oder nicht mehr gewußt, wo überall in Italien sie Häuser und Grundstücke besaßen. Eines Tages sei ein Notar aus Rom in Fibocchi erschienen und habe sich die Grundstücke angesehen.

In all den Jahren, hatte er hinzugesetzt, sei er bloß zweimal in Mora gewesen, zuletzt im Herbst vor einigen Jahren, und es tue ihm im Herzen weh, zu sehen, wie das Haus immer mehr zugrunde gehe. Er habe Mora beim Kaufabschluß gar nicht besichtigt, ihm habe es in Pontenano auf den ersten Blick gefallen, auch habe er in seinem Alter nicht in die Abgeschiedenheit gewollt. Pontenano liege, wie Stefan gesehen habe, gleich einem Vogelnest auf einer Hügelkuppe. »Aus meinem Fenster,« sagte er, »sehe ich hinunter ins Arnotal des Casentino, bis hinauf nach

Poppi, und gehe ich die paar Schritte ans andere Ende des Dorfes, so sehe ich ins andere Valdarno, im Westen. Um Ponte a Buriano herum bildet der Arno eine Schleife und fließt dann in Richtung Florenz, und man kann über das Arnotal hinweg ins Chianti schauen.« Leider seien auch der mächtige Betonschlot und die Qualmfahne des Kraftwerks von San Giovanni nicht zu übersehen. Und in der Bar von Talla habe er vor ein paar Tagen in der Zeitung von einem Plan der italienischen Regierung gelesen, bei Greve, mitten im Chianti, eine Müllverbrennungs-Großanlage zu errichten. Nach dem ersten Besuch in Mora jedoch, in seinem zweiten Jahr im Valdarno, habe er gedacht: Gäbe es in Gello Biscardo Geschäfte und eine Bar, hätte er sich damals, wenn er das Anwesen gekannt hätte, obwohl es zweieinhalb Kilometer vom Ort entfernt liege, sogar eher für Mora entschieden. Obwohl die Handwerker damals noch anständige Preise berechnet hätten, habe er für die Renovierung des Hauses in Pontenano seine sämtlichen Ersparnisse aufgebraucht. Wenn Stefan Lust hätte, Mora zu übernehmen als eine Art Sommerhaus – aber vor allem im Frühjahr und Herbst sei das Klima sehr angenehm, würde er es ihm überlassen und sich freuen, wenn es ihm gelänge, es vor dem Zerfall zu bewahren. San Giustino, der nächste Ort mit einer selten angefahrenen Haltestelle für Busse nach Arezzo, hatte Seiffert erklärt, sei ungefähr sieben Kilometer entfernt. Nach Castiglion Fibocchi seien es ungefähr zehn und nach Talla, auf der anderen Seite der Hügelkette, zwölf Kilometer. In diesen Orten befänden sich auch die nächsten Lebensmittelgeschäfte. Da Heinrich den Ort Pontenano, in dem sich, wie

Stefan gesehen hatte, ein größerer Lebensmittelladen befand, in diesem Zusammenhang nicht erwähnte, hatte er sich überlegt, ob es ihm vielleicht nicht angenehm wäre, ihm dort oben allzu oft zu begegnen, und das verstimmte ihn etwas.

Die erste Reise ins Valdarno, im letzten Sommer, hatte er völlig ahnungslos angetreten. Vor der Abreise war er die meiste Zeit schlaflos im Bett gelegen. Am Vorabend hatte er den Wagen, der mit umklappbaren Rücksitzen ausgestattet war, vollgepackt, auf dem Dachträger eine Matratze fest verschnürt. Um fünf Uhr früh hatte es geregnet. Als er zuletzt um den Wagen herumging, schien ihm, er sei überladen. Auf dem Beifahrersitz lag eine flache Schachtel für Papiere, Lire-Kleingeld, Traubenzucker, eine Landkarte. Ein Lehrerkollege hatte ihm geraten, sonntags zu fahren, sonntags sei wenig Schwerverkehr auf den italienischen Autobahnen. Die Abfahrt im Regen, noch im Dunklen: ein großer Moment. Den Motor starten, Gang einlegen, los. Die Nervosität plötzlich wie weggeblasen. Die nächtlichen Straßen der Stadt leer, das Licht der Lampen spiegelte sich auf der nassen Fahrbahn. Nach der Einmündung auf die Autobahn nahe dem Walserberg, um in Richtung Rosenheim in das Inntal zu gelangen, fand er sich plötzlich inmitten einer zweispurigen Kolonne deutscher Urlauber, die aus Italien und Kärnten zurückkehrten, vermutete er. Beim Einlenken auf die Autobahn hätte ihn beinah ein alter Mercedes gerammt, welcher, ihn überholend, im Regenschleier mit hoher Geschwindigkeit schemenhaft, abstandslos an ihm vorbeischnitt und sich vor ihm positionierte. Erschrocken hatte er hinübergeschaut. Der Abstand von Wagen zu Wagen war höchstens ein paar Zentimeter; für einen Moment sah er, daß dieses alte Auto mit mindestens sechs oder sieben Personen besetzt war, der Kopf des vornübergebeugten Fahrers knapp über dem Lenkrad. Nach den ersten dreißig Kilometern in Bayern wurde ihm klar, daß er das Fahren auf der Autobahn hätte üben sollen; nun mußte er mithalten mit den hohen Geschwindigkeiten der übrigen Autofahrer, die ihn, der mit hundertzwanzig Stundenkilometern fuhr, der Reihe nach überholten. Die Sicht war schlecht und wurde erst nach dem Brenner besser. Vor dem Überholen fürchtete er sich bald, besonders vor dem Überholen von Schwertransportern, deren Räder über den gestrichelten Mittelstreifen herüberreichten und nur eine schmale Spur zwischen ihm und den Leitschienen freiließen. In den schnellen Kurven Oberitaliens irritierten ihn beim Überholen bei hundertdreißig Stundenkilometern die auf den Mittelstreifen zwischen den Leitschienen wachsenden Pflanzen und Sträucher, die der Wind hin und her bewegte; sie störten die Wahrnehmung, besser, die Koordination zwischen dem Wahrnehmen der rasend auf ihn zuschießenden bedrohlichen Außenwelt und dem richtigen Reagieren darauf mittels Lenkrad und Gaspedal; er fürchtete, die Kontrolle zu verlieren. Nach der Mittagspause auf einem Parkplatz zwischen Modena und Bologna merkte er, daß er sekundenlang abwesend gewesen war; was sich auf den letzten dreihundert oder mehr Metern ereignet hatte, war ihm nicht erinnerlich.

Diese mehr als zehnstündige Autobahnfahrt über den Brenner nach Bologna und Florenz bis zur Ausfahrt San

Giovanni Valdarno, der eine weitere fünfzigminütige Fahrt auf Landstraßen und zuletzt Güterwegen folgte, war für ihn Ahnungslosen ungefähr von Bozen bis Florenz das Fürchterlichste, was er je erlebt hatte, und er dachte sich auf dem Parkplatz bei San Giovanni, während er den Rest des warm gewordenen Mineralwassers trank und auf der Landkarte die Orte Terranuova und Paterno suchte: Da du das überstanden hast, kann dir im Leben nicht mehr arg viel geschehen. Währenddessen waren auf dem sonst leeren, schattigen Parkplatz drei junge Männer damit beschäftigt gewesen, in größter Eile alte Möbel, Lampen, Bilder aus einem Lieferwagen mit neapolitanischem Kennzeichen in einen anderen aus Mailand umzuladen. Während er ums Auto herum, dessen Türen er aufgespreizt hatte, gymnastische Streckübungen machte, näherte sich einer und fragte ihn nach Wasser.

Hätte er sich diese Autobahnfahrt vorher ausmalen können, wäre er vermutlich nie nach Gello Biscardo gereist. Besonders schrecklich hatte er die Fahrt über den Apennin empfunden. Kaum waren die ersten kurvigen Steigungen überwunden, hatte der Himmel sich immer mehr verdunkelt. Nebeldunst fiel ein, und nach der Ausfahrt Rioveggio begann es heftig zu regnen. Auf der rechten Fahrspur zogen holländische, deutsche, italienische Wohnwagen mit fünfzig Stundenkilometern dahin; er mußte, um überhaupt vorwärts zu kommen, immer wieder überholen, was riskant war, da die italienischen Autofahrer, die mit hundertdreißig und mehr die Überholspur beanspruchten, sie so gut wie nie verließen und ohne Scheinwerferlicht fuhren. Wenn er schließlich nach einem

Überholvorgang zögerte, diese linke Fahrspur zu verlassen, weil weitere Schwerlaster oder Busse zu überholen waren oder weil eine Kolonne von Lastzügen mit Anhängern auf der rechten Spur keine Lücke zum Einordnen ließ, blinkten die wie von Teufeln gehetzten Lenker, hupten im Dauerton und fuhren bis zur hinteren Stoßstange heran, so daß ihm die Knie zu zittern begannen und er Mühe hatte, sich auf das Lenken zu konzentrieren. Er hatte genug zu tun gehabt, wenigstens vor sich etwas wahrnehmen zu können; im Rückspiegel war außer einer Regengischt selten etwas zu erkennen gewesen; die Scheibenwischer seines Simca bewältigten kaum die Wassermassen, die die Räder der Fahrzeuge vor ihm in Schüben auf die Windschutzscheibe des Wagens spritzten. Einmal dachte er, genausogut könntest du beim Überholen die Augen schließen. Kurz vor dem Scheitelpunkt, der Paßhöhe, vor einem Tunnel dann auf der Gegenfahrbahn ein Unfall: Kreuz und quer stehende und auf dem Dach liegende verbeulte Autos; ein Wagen ragte an die Mittelleitschiene gequetscht schräg in die Höhe. Leute standen herum, dahinter staute sich der Verkehr. Im Vorbeifahren sah er einen alten Mann – lebendig oder tot – angeschnallt in einem Wagen ohne Tür sitzen, die Hälfte seines blutenden Gesichts war fleischig-rot, als sei ihm die Haut abgezogen worden. Das alles mußte kurz zuvor passiert sein, kein Polizei- oder Rettungswagen war zu sehen.

Als er auf der anderen Seite des Apennins aus einem langen Tunnel ins Freie fuhr, blendete das Sonnenlicht, der Himmel war jetzt nur mehr leicht bewölkt, und er beschloß, an der nächsten Raststätte eine Pause zu machen.

Als er gegen fünf, die Hitze hatte noch nicht nachgelassen, ein paar Kilometer hinter San Giustino auf die Paßstraße Richtung La Crocina abzweigte, eine steile Bergstraße mit engen Kurven, dröhnte der Auspuff des Wagens immer stärker. An einer schattigen von Piniennadeln bedeckten Ausweiche hielt er an, um den Motor ein wenig abkühlen zu lassen; er war so heiß, daß er nach dem Abstellen, dem Drehen des Zündschlüssels, eine Weile unregelmäßig weiterlief, ehe er abstarb. Gello Biscardo war nur noch wenige Kilometer entfernt. Nach einer Viertelstunde hatte er damals eine Seite des Simca mit dem Wagenheber angehoben, war unter das Chassis geschlüpft und hatte gesehen, daß das lange Auspuffrohr an einer Stelle gebrochen war; mit einem Stück Isolierband hatte er es notdürftig geflickt und sich die Finger verbrannt. Hinter dem Ortsschild zweigte rechts eine schmale Straße ab, führte in vielen Biegungen steil hinunter. In einer Kurve erblickte er talseitig inmitten von Olivenhainen den Ort, der von seiner höher gelegenen Kirche überragt wurde. Wegen des Auspuffdröhnens hatte er sich geniert, bis zum Ortseingang zu fahren, hatte den Simca am Straßenrand stehen lassen, war die letzten paar hundert Meter zu Fuß gegangen. Für die Dorfbewohner mußte er seltsam ausgesehen haben: durchgeschwitzt und krumm, mit ungelenken Beinen. Am Dorfeingang sah er ein paar alte Männer, die um den Brunnen herumstanden, ein aus einer Mauer ragender Wasserhahn und ein Marmor-Becken; er war so aufgeregt, daß er außer *buon giorno* nichts sagen konnte. Als sie gleichgültig mit *buona sera* antworteten, wurde ihm klar, daß er nicht einmal korrekt grüßen konnte. Er hatte nach Mario gefragt; dieser, hatte Herr Seiffert ihm erklärt, sei eine Art *capo* von Gello, an ihn solle er sich wenden, er wisse Bescheid über das Anwesen Mora, habe den Schlüssel, und in seinem Haus befinde sich auch das öffentliche Telefon.

Der Simca war dann nicht mehr angesprungen. Mario, den er bei seinem Neubau fand, hatte versprochen, abends Francesco, den Sohn der Bindis, der in Fibocchi eine Werkstatt besitze, anzurufen, der werde sich den Wagen in der Früh ansehen. Stefan hatte sich die beiden Reisetaschen mit den wichtigsten Sachen umgehängt und war, in einer Hand eine geschenkte Flasche Wein, zu Fuß auf dem Güterweg nach Mora gewandert, hatte die in einer Kurve befindliche zugewachsene Abzweigung zum Haus hinunter übersehen und umkehren müssen. Als er endlich, schwindlig vor Erschöpfung, im tiefen Gras zur Haustreppe gestapft war, dämmerte es schon. Auf der Treppe sitzend hatte er die halbe Flasche Wein ausgetrunken, war dann die Stufen hinaufgetorkelt und hatte sich in der Küche auf den mit Stroh bedeckten Ziegelboden gelegt.

Unter dem Fenster des Schlafzimmers schrie ein Tier wie in die Enge getrieben, halb Quieken, halb Brüllen. Fünf Uhr. Eine Stelle bei Epikur über die *Abbilder* kam ihm in den Sinn, die er am Vorabend gelesen hatte, und über die er mit Heinrich reden wollte. Epikur war der Meinung, die Menschen könnten Dinge erkennen, weil von den Gegenständen unentwegt unsichtbare, aus Atomen zusammengesetzte *eidola*, Abbildchen ausgingen, die von unseren Sinnesorganen aufgenommen werden könnten. Für den Laien, dachte er, ist solch eine Theorie genau so glaublich oder unglaublich wie neuzeitliche physikalische Theorien, die man versteht oder nicht versteht.

Nach einer Weile stand er auf, öffnete den Riegel der Tür und trat auf die oberste Stufe der Steintreppe hinaus. Die Wiese war in ein mystisch wirkendes Blau-Grau getaucht. Barfuß stieg er hinunter durchs nasse Gras zum Rand der Wiese, erleichterte sich, ließ seinen Urin ins Dickicht der unteren Terrasse rieseln. Etwas hatte ihn in die Wade gestochen, sie war angeschwollen. Er erinnerte sich auch, nachts im Vorzimmer oder in der Küche ein Geraschel, wahrscheinlich Mäuse, gehört zu haben.

Später mit der Schale heißen Wassers, dem Rasierpinsel, der Seife, dem Rasierer, dem Spiegel zum Hausbrunnen. Das Gras naß. Er war nicht sicher, ob es in der Nacht geregnet hatte oder bloß tauig war. Wie hatte er das im letzten Sommer gemacht? Er hockte sich ins Gras, rasierte sich, in der einen Hand den Spiegel, tunkte jedesmal den Rasierer in die Schale mit dem warmen Wasser. Es war acht Uhr vorbei, wolkenlos; bald würde der Umriß des Hügelkamms im Osten zu erglühen beginnen.

Auch an diesem Tag war es nichts mit Einkaufen fahren, dem Großeinkauf. Am Tag davor hatte es aufgehört zu regnen, aber der Weg war immer noch so aufgeweicht, daß er mit dem Wagen nicht herunterfahren konnte, höchstens Kleinigkeiten besorgen und herunterschleppen. Zu Essen war jedenfalls genug im Haus. Die ersten beiden Tage hatte er mit Saubermachen, mit dem Aufstellen der mitgebrachten Regale verbracht, mit notdürftigen ersten Rodungsarbeiten ums Vorderhaus und um den Brunnen herum.

Vor einer Stunde hatten die Wolken sich plötzlich verzogen, die Sonne heizte die Wiese und das Haus auf. Nun saß er am Tisch im Schlaf- und Arbeitszimmer, die Nachmittagssonne verwandelte den bis zum Mittag düsteren Raum. Ein Windstoß beförderte eine ganze Flockenfülle von goldfarbenen Blüten der großen Esche herein. Götterbaum nannten die Einheimischen diese Art. Vor ihm lag der großformatige Notizblock. Auf der ersten Seite des Blocks hatte er sich geprüft, alle Gemüsesorten auf italienisch notiert, die ihm einfielen. Vorhin hatte er überlegt, zum Feinkostladen in San Giustino zu fahren, wo die Chefin ihn, sobald er auf einen Käse oder einen Schinken deutete, immer ein Scheibchen kosten ließ. Neben der Türöffnung bewegte sich ein Skorpion die Mauer hinauf. Jetzt, da die Mauern geweißt waren, erkannte man die kleinsten Tiere von weitem. Er hoffte, Mario würde bald die Fensterscheiben bringen. In einem der beiden Deckenbalken des Schlafzimmers hauste ein Holzwurm; es konnten auch mehrere sein, jeden Morgen lagen Häufchen von feinem Holzmehl auf der Tischplatte, auf den Büchern und Papieren.

Abends gegen sieben machte er sich mit dem Wasserkanister auf nach Gello; der Weg stellenweise noch matschig, die Büsche bereits trocken. Das Brunnenwasser beim Haus war, wie Mario meinte, trinkbar, aber oben am Wegrand, auf halber Distanz nach Gello, sprudelte ein besonders gutes Wasser. Das uralte, über und unter Wasser mit Moos bewachsene Bassin war aus Ziegeln. *Acqua Buona,* sagten die Einheimischen. Als er sich näherte, hörte er die Stimmen zweier Frauen, die offensichtlich zum Friedhof gingen. Die jüngere, mit Holzschuhen, trug eine kleine Gießkanne; die ältere, schwarzgekleidete erwiderte seinen Gruß nicht, als sie sich beim Eisentor begegneten. Er kannte sie, ihr gehörte eine ganze Häuserreihe in der düsteren *Hauptstraße* von Gello, in die nie ein Sonnenstrahl gelangte. Mario hatte ihm erklärt, die Hälfte dieser Häuser stehe seit Jahren leer. Die grob gepflasterte Gasse war so schmal, daß man mit dem kleinsten Fiat gerade noch durchfahren konnte. An heißen Sommernachmittagen saßen die Bewohner auf kleinen Stühlen an der Hausmauer. Während er am Brunnen seinen Behälter unterstellte, fiel ihm ein: Er hatte vergessen, eine leere Flasche mitzunehmen um sie hier zu füllen. Mario hätte sich gefreut; oft vor einem Essen ging er mit der Kanne hierher oder schickte eines der Kinder.

In seiner Wohnküche war es dunstig-schwül, der Fernseher eingeschaltet, ein alter Schwarzweiß-Film mit Alberto Sordi. Mario stand am Herd, rührte in einem Topf, deutete, Stefan solle sich selbst Wein eingießen. Er berichtete, Vittorio, sein Schwager, sei heute hier gewesen, habe sich freigenommen, ihm beim Betonieren des Schwimmbeckens geholfen.

Auf dem Rückweg im Finstern begleiteten ihn Hunderte Glühwürmchen. Sie kreisten in einer anscheinend gesetzmäßigen Choreographie ihm voraus, er brauchte die Taschenlampe nicht anzuknipsen. Nur beim Brunnen machte er Licht und sah, jemand hatte seinen vollen Behälter zugeschraubt und auf die Seite gestellt. Auf dem Güterweg, der sich um die Falten, die steilen Ausläufer der Hügel schlängelte, schien eine Kurve wie die andere. Oft stolperte er über grobe, von unzähligen Gewitterregen ausgewaschene, herausragende spitze Steine; an manchen Stellen war der Weg mit Ziegelbruch ausgebessert worden. Beinahe wäre er wieder zu weit gewandert. Erst als er den Umriß des Autos sah, merkte er, daß er im Finstern die Abzweigung zu der immer noch überwachsenen Zufahrt nicht wahrgenommen hatte. Gleich am nächsten Vormittag würde er mit der Baumschere die Dornenzweige, das Strauchwerk und die hohen Farne beseitigen, später mit einer Säge die hereinwachsenden Ginsterbüsche. Beängstigend dann der Moment, als in Hausnähe der Hohlweg endete, in die Wiese einmündete. Rechtzeitig spürte er den niedrigen Ast des Pflaumenbaums und duckte sich. Die Hauskante und den freien Platz davor konnte er bloß ahnen. Die Silhouette des Hauses hob sich kaum ab vom schwarzen Nachthimmel. Hatte er vergessen, den Wasserhahn zuzudrehen? Ihm war, als wäre er nicht allein. Erst als er die Tür aufschloß und eintrat, löste sich das bange Gefühl. Im warmen Schein der Petroleumlampe rundete die Kammer sich zu einer Höhle. Später stieg er mit Wasserglas und Zahnbürste ins Freie, hockte sich ins Gras. Grillen zirpten, exotisch klingende Vogelrufe tönten vom nahen Wald her. Auf der Matratze liegend hörte er vor dem Einschlafen ein paarmal das Geräusch eines von den hohen Dachbalken oder vom undichten Dach herunterfallenden Tiers, so laut, daß er an Mäuse dachte. Er stand auf, leuchtete den Ziegelboden ab, fand bloß kurze, schwarze, wurmartige Vielfüßler, die sich bei Berührung sofort in harte Kügelchen verwandelten. Zweimal hatte er an diesem Tag am Telefon in der Bar die Nummer von Seiffert gewählt.

Wieder wachte er sehr früh auf. Eine Wildsau hatte bedrohlich gequietscht, ganz nah; gleich darauf waren mehrere Tiere durch das Gesträuch auf den Terrassen unterhalb des Schlafzimmerfensters geprescht. Es klang, als würden Baumstämmchen geknickt. Er beschloß, nach Arezzo zu fahren; die Gasflasche war leer, und vor allem mußte er endlich versuchen, Heinrich Seiffert am Telefon zu erreichen, er hoffte, Seiffert würde ihn nach Pontenano einladen. Wenn er in die Stadt kam, ehe der Pendlerverkehr einsetzte, fand er vielleicht einen Parkplatz im *centro storico*, oben vor dem Dom, brauchte die schwere Flasche nicht so weit zu rollen. Leichter Morgennebel, als er in die Ebene hinunterkam, auch die Stadt, der er sich durch die Industriezone näherte, lag im Dunst; nur der Turm des massigen Doms auf dem Hügel ragte scharf konturiert hervor. Beinahe hätte ein verdreckter kleiner Fiat ihn gerammt. Als er ihn überholen wollte, scherte der Fahrer in die Straßenmitte aus. Der unrasierte Mann sah gelassen herüber, als er heftig hupte. Er lenkte, wie Stefan sah, mit einer Hand, die andere stocherte mit einem Hölzchen im Mund herum. Er glaubte den Weg zum Dom hinauf vom letzten Sommer her zu kennen, aber diesmal erschien ihm alles fremd; von der Via San Domenico an wurde die Straße schmal. Die glatten schwarzen Steinplatten hatten gerundete Fugenränder. Vor manchen Häusern fegten Frauen die Straße, da und dort standen Stühle und Tischchen, manchmal las ein älterer Herr neben einer Haustür die Zeitung, und immer mehr genierte er sich, mit dem Auto durchzufahren. Das ist ja ihr zweites Wohnzimmer, dachte er; da nützte es auch nichts, sich zu sagen: Die Aretiner selber befahren diese alten Gassen, und niemand denkt sich etwas dabei, wenn Jugendliche auf ihren Motorrädern vorbeikrachen. Der kurzgewachsene Geschäftsinhaber des Ladens, der hauptsächlich Camping-Zubehör anbot, öffnete gerade. Stefan stellte die Gasflasche im Laden ab und spazierte weiter den Corso hinunter. In einer Bar trank er einen Cappuccino und trat dann ins Innere von San Francesco. Besonders gefiel ihm das isoliert auf einem der völlig verwitterten, abgeschabten Pfeiler verbliebene Bildnis des Erzengels Michael. Wie viele Köpfe Piero della Francescas strahlte dieses Antlitz die Feierlichkeit früher griechischer Plastik aus. Auch in den Straßen Arezzos, wenn Mädchen und Knaben vorbeialberten, meinte er manchmal solche Gesichter zu sehen. Die Beleuchtung der Fresken funktionierte nicht, es war dunkel in der Apsis. In einer ehemaligen Seitenkapelle befand sich ein Devotionalienladen, wo er ein paar Ansichtskarten und zwei Drucke kaufte: Eine gar nicht liebliche Schutzmantelmadonna von Piero; ihr Mantel breitete sich auch um eine unheimliche Figur, einen Knienden, dessen schwarze Kapuze zwei Augenlöcher hatte. Der zweite Druck war das Abbild eines Freskos: Die von ihren Hofdamen umgebene Königin von Saba kniend vor König Salomo. Die gänzlich unsentimentale, von großem Ernst getragene Darstellung beeindruckte ihn; er überlegte, in welchem Zimmer er das Blatt anbringen könnte. Er spazierte dann ziellos den lebhaften Corso hinunter. Halb zehn, immer mehr Menschen bevölkerten die Straßen. Als er in einer Seitengasse das Neon-Schild einer Bar *Petrarca* erblickte, trank er dort noch einen Kaffee und rief Seiffert an. Übermorgen, sagte Seiffert, fahre er nach San Giustino zum Friseur, ob sie sich vielleicht gegen elf Uhr in der Bar treffen könnten? Die Gassen, die vom Corso abzweigten, waren beiderseits von abgestellten Autos verengt; immer wieder war das Hupen eines Lieferwagens zu hören, der nicht durchkam. Um das Denkmal für Mario Monaco, den Erfinder der Notenschrift, toste ein Kreisverkehr; kein Wagen kümmerte sich um die mit Zebrastreifen gekennzeichneten Übergänge. Er wurde ungeduldig, weil er nicht auf die andere Seite des Platzes gelangen konnte. Vergeblich suchte er wieder einmal die Bar Costantini, in der er im Jahr zuvor einige Stunden lang einen Gewitterregen abgewartet hatte; diese Bar hatte ihn an eine in Triest erinnert, hatte etwas Altösterreichisches; in keiner anderen schmeckten Kaffee und Mehlspeisen so gut. In der Auslage der Buchhandlung gegenüber standen Klassikerausgaben von Leopardi, Carducci, Tozzi; er mußte sich einreden, sie seien teuer und er könne sie sowieso nicht lesen. Dann trat er doch ein und blätterte in schöngedruckten Lyrikausgaben. Auf einer Seite in einem dünnen Bändchen mit Büttenumschlag stockte sein Blick, fiel auf zwei Zeilen in deutscher Sprache inmitten eines Gedichts:

»Ich liebe dich, mich reizt deine schöne Gestalt;
und bist du nicht willig; so brauch ich Gewalt!«

Es war jetzt, als lese er diese Verse zum ersten Mal. Nein, Gedichte waren diese Texte von Stefano Busolin streng genommen, wie oft heutzutage, nicht, er schrieb Prosasätze, in Zeilen gebrochen. In einem Regal standen die außergewöhnlich schönen Bände des Mailänder Adelphi-Verlages, neben Ausgaben von Joseph Roth *(La Cripta di Cappuccini)* und Karl Kraus *(Gli ultimi giorni dell' umanità)* sah er eine Hofmannsthal-Übersetzung: *Libro degli amici.* Diesen Band kaufte er als Geschenk für Seifert.

Gegen halb elf wurde der Gestank der Abgase in der sich immer mehr erhitzenden Luft so unerträglich, daß er rasch seine Einkäufe erledigte und die Stadt verließ. Auf der kilometerlangen Geraden, die von der Peripherie bis Ripa di Quarata reichte, fuhr er wie alle um die hundertzwanzig; die Straße war staubig, und immer blies hier ein Wind von Osten. Es stank von den Industrieanlagen; er konnte es kaum erwarten, bei Quarata links abzubiegen, das Fenster herunterzukurbeln und zu lüften bis hinunter nach Ponte Buriano. Der Verkehr über die sehr schmale Brücke aus Römerzeiten war mit einer Ampel geregelt; trotzdem war es schon vorgekommen, daß ihm in der Mitte der Brücke plötzlich ein Wagen begegnet war. Der Arno bog hier, aus dem Norden kommend, um die letzten südöstlichen Ausläufer des Pratomagno herum und floß dann geradewegs in Richtung Florenz. Von der Römerbrücke aus sah er auf das breite, teilweise schottrige Flußbett; im Sommer bestand der Arno hier meistens bloß aus einigen Rinnsalen zwischen verdrecktem Geröll. In Castiglion Fibocchi kaufte er das Gemüse. Dann wieder eine lange gerade Wegstrecke, hinauf zu den beiden riesigen Zypressen, die links und rechts am Straßenrand standen und ihm wie ein Tor vorkamen, ein Tor zu einem Ort, an dem er glücklich war, und es tat ihm leid, daß dieses Tor sich nicht vor der Abzweigung auf die Paßstraße befand, so daß er sich nach der langen Reise auf der Autobahn hätte sagen können: Ich werde empfangen, bald bin ich zuhause.

Jedesmal freute er sich darauf, wenn er auf dem holprigen Weg unterhalb von Gello beide Fenster ganz herunterkurbelte, Luftholen, Luftschmecken, wenn er beim Brunnen anhielt, trank, sich erfrischte, und den neuen Zehnliter-Behälter ausspülte und vollaufen ließ. Da er so viel geladen hatte, beschloß er, mit dem Auto bis zum Haus hinunterzufahren, vorsichtig, denn im dichten Gras in der Mitte des Weges ragten stellenweise Erhebungen des Felsuntergrundes auf. Außerdem, da keiner sie instand hielt, zerfielen die kunstvoll gefügten Steinmauern entlang der Terrassen oberhalb des Weges, manchmal gesprengt von den Wurzeln der Bäume; immer wieder kollerten Steinbrocken auf den Weg.

Abends, als er sich auf dem Treppenabsatz die Schuhe schnürte, um nach Gello zu spazieren, hörte er Kinder den Weg herunterkommen. Bedingt durch die Lage zwischen den beiden Talschrägen verstand man auf Mora jedes Wort, das Besucher oder Passanten sprachen, wenn sie oben auf dem Güterweg gingen oder die Zufahrt herunterspazierten. Es waren Gianni und Davide, Marios Jungen, mit einer Flasche Wein. Zum Essen könne Stefano heute nicht zu ihnen kommen, der Papa habe sich am Bau verletzt und sei am Nachmittag von einem Nachbarn ins Krankenhaus gebracht worden. Der kleine Davide stellte sich breitbeinig mitten in die Zufahrt zwischen Eichenschößling und Pflaumenbaum, ließ seine Hose rutschen und kackte; Gianni mit seinem kahlgeschorenen Kopf sah aus wie ein Chinese.

Im fensterlosen Keller, der durch eine schmale Öffnung vom südseitigen Stall zu betreten war, hatte er unter Holzscheiten und Reisig letztes Jahr vor der Heimreise Wein, Olivenöl und Werkzeug versteckt. Der unebene Felsboden war fingerdick mit Staub und feinem Sand bedeckt. Nur nachmittags, wenn die Sonne fast horizontal durch die unverglaste kleine Öffnung der Stallmauer schien, gelangte etwas Licht in diesen höhlenartigen Raum. Er hatte vergessen, in Arezzo Batterien für die Taschenlampe zu kaufen; bis die Nachmittagssonne hereinschien, wollte er nicht warten. Er bückte sich, blieb drinnen in Hockstellung und wartete, bis die Augen sich an die Dunkelheit gewöhnt hatten. Ein wenig fürchtete er sich, griff vorsichtig ins Brennholz, in dürre Äste, die er im vorigen Jahr gesammelt und zerkleinert hatte. Als er damals zum ersten Mal mit der Taschenlampe den Keller betreten hatte, hatte er zwischen den Deckenbalken ein Gewehr gefunden. Es gehöre sicher einem Jäger, hatte Mario gemeint, er solle es an seinem Platz lassen und über den Winter die Ställe nicht verschließen, sonst würden sie die Tür aufbrechen. Die Jäger seien es gewöhnt, im November bei Regen irgendwo unterzuschlüpfen, zu rasten und zu essen. Der Wein war noch da, drei Flaschen seines Lieblingsweines *Villa Calzinaia*, den er in Arezzo ausfindig gemacht hatte. Er erinnerte sich, wie schwierig es an-

fangs war, in der Gegend guten, nicht zu teuren Rotwein
zu bekommen. Seiffert hatte gesagt, er beziehe ihn von einem kleinen Weinbauern in Castiglion Fibocchi, aber er
habe fünf Jahre gebraucht, bis dieser ihm einmal dreißig
Flaschen verkaufte. Die Weine aus den Supermärkten
seien ungenießbar; die guten, wie den Brunello, könne
man sich höchstens an Festtagen leisten. Früher habe er
manchmal beim Kaufmann in Pontenano eine anständige
Flasche Wein entdeckt. Im vorigen Sommer, erinnerte
sich Stefan, hatte er in San Giustino an einer Straßenecke
zwei alte Männer, die in der Abendsonne an der Hausmauer gelehnt hatten, gefragt, wo man hier guten, preis-
werten Wein kaufen könne. Die beiden hatten ihn angeschaut, als ob er sich nach Prostituierten erkundigt hätte.
Seit Mario ihn mit Antonio Ferretti bekannt gemacht
hatte, konnte er bei ihm Wein bekommen. Ferretti jedoch,
so Nardo, schwefle den Wein zu sehr; auch sei es mit dessen Hygiene nicht weit her. Das stimmte; wenn er mehr
als einen Viertelliter trank, brannten die Mundschleim-
häute, und so trank er den Ferretti-Wein nur schluckweise
oder bei ihnen am Tisch, wenn er eingeladen war und
nicht anders konnte.

In den Ritzen und Löchern der Hausmauer, in Knöchel-
höhe, schlüpften Ringelnattern aus und ein, es war ihr
Haus. In der römischen Antike, hatte er einmal gelesen,
habe jedes Haus seine Hausschlange gehabt. Trotzdem beschloß er, diese Löcher bei Gelegenheit zuzumauern. Es
gab hier kaum Pinien, keine Zypressen, wohl aber Oliven,
Eichen, Eschen und Kastanien. Mario hatte erklärt, auf
den Terrassen oberhalb und unterhalb von Mora stünden

wohl mehrere hundert Olivenbäume, dazu eine Unmenge von Schößlingen. Die meisten von den kleineren seien so umwachsen, überwachsen von Büschen, Unkraut, Dornengestrüpp, daß man sie gar nicht sehe. Viele Bäume seien bei einem Brand umgekommen. Seit mehr als dreißig Jahren habe hier niemand mehr einen Finger gerührt, so lange sei das Anwesen verlassen gewesen. Das einstökkige Steinhaus stand mit den vorderen vier Räumen, die er bewohnte, auf einem kleinen Plateau, auf einem der Abhänge der Ausläufer des Pratomagno-Gebirges. Der hintere Teil war auf einem felsigen Hang errichtet, und dahinter fiel das Gelände stetig ab bis hinunter ins Tal, zur Straße nach Fibocchi. Auf der linken Hausseite war in einen der Steine eine Jahreszahl gemeißelt, aber inzwischen so verwittert, daß er nicht erkennen konnte: hieß es 1789 oder 1788 oder 1768? Die Wiese vor der Haustreppe, der frühere Dreschplatz, war die einzige ebene Fläche weit und breit. Vom mittleren Zimmer, das derzeit ein Abstellraum war, hatte man irgendwann durchgebrochen zu dem großen Raum, der, wie Mario sagte, ein Schlafraum gewesen war. Solange Signora Cassi gelebt hatte, sei der Raum von der anderen Seite, der riesigen Gesindeküche aus, zu betreten gewesen. In Stockbetten hätten darin sieben Landarbeiter geschlafen. Es konnte später einmal das schönste Zimmer werden, doch der Ziegelboden war durchgetreten, an einer Stelle sah man hinunter in einen der Ställe. Der hintere Teil des Hauses war wegen des löchrigen Daches kaum mehr bewohnbar.

Heinrich Seiffert war zuerst – wie auch kürzlich am Telefon – etwas steif und wortkarg. Stefan überlegte, ob er sich schlecht benommen, sich nicht dankbar genug erwiesen habe; doch nachdem Heinrich sich in der Bar zu Stefan an den Tisch gesetzt hatte, sagte er als erstes, daß es ihm seit dem letzten Winter nicht so gut gehe. Das Herz, die alte Geschichte. Er sei im April zwei Tage zur Untersuchung im Krankenhaus von Arezzo gewesen. Die Bürokratie der Krankenkassen – man sei noch weit entfernt von einem *gemeinsamen Europa*. Wenn er vorher gewußt hätte, was es bedeute, sich in Italien niederzulassen, er hätte sich wohl nicht dazu entschließen können. Die Banken, diese Gangster: Vor mehr als acht Jahren habe er in Talla ein Sparbuch angelegt und nach drei Jahren für neuerliche Renovierungsarbeiten zwei Millionen Lire abheben wollen: da stellte sich heraus, daß sich ein großer Teil des eingezahlten Betrages nicht mehr auf dem Konto befand. *Tasse, tasse!* hätten sie in der Bank gerufen, Gebühren … Sein Nachbar und Freund Alessandro habe ihm erklärt, man sei bezüglich der Ausländerkonten so streng, weil in Italien viele Leute ihre Gewinne, vorbei am Finanzamt, ins Ausland verschieben würden. Heinrich riet ihm, lieber einmal einen größeren Betrag in Lire umzuwechseln, denn sonst werde er verzweifeln, jeder kleine Geldwechsel sei eine Staatsaktion. Der Ausweis oder Paß werde fotokopiert, auch die eingewechselten ausländischen Banknoten. »Rechnen Sie gleich mindestens eine halbe Stunde fürs Geldwechseln«, sagte er, »denn erst einmal läßt man Sie in Arezzo vor dem Bankschalter zehn Minuten warten. Entschuldigen Sie, ich sage Ihnen wahrscheinlich nichts Neues ...« Ein eintretender junger Mann hob die Hand zum Gruß, aber Stefan konnte sich nicht erinnern, ihn kennengelernt zu haben.

»Kommen Sie, jetzt trinken wir auf Ihre Ankunft«, meinte Seiffert, nachdem sie Kaffee getrunken hatten. »Seit wann sind Sie hier?« Er habe sich, sagte Heinrich, mit Alkohol seit Monaten zurückgehalten. »Was möchten Sie, eine Grappa oder Vecchia Romagna oder was anderes? Sie müssen mich jetzt bald einmal besuchen oben, rufen Sie mich doch nächste Woche an.« Ob er Lust habe, mit ihm einmal nach La Verna zu fahren, das sei ein Pilgerort in den Casentinischen Bergen. Man könne unter anderem den Felsen sehen, auf dem Franz von Assisi während seines Aufenthalts geschlafen habe. Fahren allerdings müßte er, Stefan, er selbst habe seit drei Monaten kein Auto mehr. Stefan sagte, er habe schon von La Verna gehört, Antonio Ferretti habe ihn eingeladen, mit ihm dorthin zu fahren.

Vor genau siebzehn Jahren sei er in Pontenano angekommen, erklärte Seiffert, er habe kaum Italienisch gekonnt, sei mit seinem Latein gut durchgekommen. Der Aretiner Notar, bei dem er den Kaufvertrag unterschrieben habe, ein Wagner-Verehrer, der jedes Jahr nach Bayreuth reise, habe sich in der ersten Zeit um ihn gekümmert, ihn auch mit dem damaligen Bürgermeister bekannt gemacht. »Wenn ich mich daran erinnere, wie ich das Laub in meinem Garten – Laub von den Oliven, den Eichen, den Maronibäumen: Berge! – in einem Koffer gesammelt und auf eine der unteren Terrassen geschüttet habe … Nach zwei Tagen war ich von dieser Arbeit völlig erledigt, nie in meinem Leben zuvor hatte ich mit meinen Händen gearbeitet. Das Verbrennen von Laub oder Heu ist streng verboten. Die Einheimischen halten sich kaum daran, sie haben natürlich mehr Erfahrung.«

Mit ein Grund für seine Übersiedlung in die Toskana sei gewesen, daß 1966 in Jülich ein Atomkraftwerk errichtet worden sei. 1974, wenn er sich richtig erinnere, eines in Biblis, und dann weitere. »Sie können sich denken, wie ich mich gefühlt habe, als das kalorische Kraftwerk bei San Giovanni gebaut worden ist.« Auf einmal sagte er, sie könnten eigentlich Du zueinander sagen. »Stoßen wir an auf einen schönen Sommer!« Seiffert fragte ihn, ob ihm bekannt sei, daß San Giovanni der Geburtsort von Masaccio sei. »Es ist bemerkenswert, wie viele große Künstler in dieser Gegend geboren worden sind. Giotto in Vespigniano, Piero della Francesca in Sansepolcro, in Vicchio Fra Angelico, Leonardo in der Nähe von Empoli; Michelangelo in Caprese – das liegt in den Bergen des Casentino … Dazu Uccello, Ghiberti, Simone Martini, Donatello …« In früheren Jahren habe er alle diese Orte besucht. Wenn Stefan Ausflüge machen wolle, könne er sich von ihm Bücher und Reiseführer ausleihen.

»Erzählen Sie, wie geht es in Mora? Verzeih! Wie lange gedenkst du zu bleiben? Wo hast du Italienisch gelernt?« Stefan sagte, vor vielen Jahren habe er in Salzburg einen

Anfängerkurs besucht, bei einem älteren italienischen Professor, der habe jedoch seinen Schülern meistens – auf deutsch – Geschichten aus seiner Jugend in Genua erzählt; aber ein bißchen was scheine er trotzdem gelernt zu haben. Nachdem er jetzt zehn Tage lang nur mit Mario und einigen anderen Bewohnern von Gello gesprochen, sich Wörter, die er nicht verstand, notiert und daheim nachgeschlagen habe, gehe es schon ganz gut; manchmal, wenn ihm beim Kochen Sachen durch den Kopf gingen, merke er auf einmal, daß er anfange, auf italienisch zu denken. Am meisten, sagte er, verblüffe ihn, daß er nie das Gefühl habe, etwas zu versäumen, es gebe nichts Wichtigeres auf der Welt, als die kleinen und größeren Arbeiten am Haus und rundherum, das Kochen … Auf die Uhr schaue er nur, wenn er nachmittags einkaufen fahre, denn die Läden öffneten ja erst gegen 17 Uhr, aber auch das sei egal: Wenn er zu früh dran sei, setze er sich in die Bar und übe sich im Italienischen, indem er die *Gazzetta dello Sport* lese. Die Schule sei unendlich weit weg … Er habe ein paar Bücher mit (»Sie haben mich angeregt, mich wieder mit den römischen Klassikern zu beschäftigen«), aber noch in keines hineingeschaut, einen Aquarellblock und einen Farbkasten – bis jetzt habe er keine Minute dafür übrig gehabt. Aber er sitze abends manchmal lange in der Dämmerung vor dem Haus, sehe die ersten Sterne aufblinken. Er habe auch einen Sternenatlas mitgebracht.

Etwas hemmte ihn, über seine geplante Arbeit zu sprechen; er sagte: »Im August wird mich mein Bruder Franz besuchen, mein Halbbruder eigentlich, wir werden eine Drehbucharbeit besprechen.«

Warum fühlte er sich so abgespannt? Er hatte zwei Stunden gemäht, hatte die Olivenbäume von Gras und Gesträuch befreit. Jetzt freute er sich darauf, abends vor dem Haus zu sitzen und die Bäume anzuschauen; der ganze Platz hatte sich verändert. Wahrscheinlich war es Einbildung, aber es sah so aus, als fühlten die Bäume sich wohl; vielleicht aber wäre es ihnen lieber gewesen, von Gräsern und Brombeerranken umarmt zu werden …

Er trug die Sense in die Werkstatt und nahm eine Flasche Wein mit hinauf, stellte sie in der Küche aufs Fensterbrett; Christa fiel ihm ein, seine Jugendliebe, der er während seiner Gymnasialjahre die Treue gehalten hatte, obwohl er sich kein einziges Mal mit ihr getroffen hatte, sie bloß im Sommer von seinem Zimmer aus täglich beobachtet hatte, wenn sie auf dem Balkon gegenüber saß oder dort Wäsche zum Trocknen aufhängte. Wie er seinen ersten Plattenspieler, in dessen Deckel sich der Lautsprecher befand, auf einen Stuhl beim Fenster gestellt und Beethoven-Sinfonien gespielt und durch die Fensterspiegelung beobachtet hatte, ob sie darauf reagierte. Ihre Eltern gehörten zu den Zeugen Jehovas, und er hatte Christa auf der Straße niemals allein gesehen.

Als er sich aus dem Küchenfenster beugte, weil er etwas gehört hatte, sah er, wie Mario sich humpelnd näherte, zehn Schritte vor der Treppe entfernt stehenblieb und seinen Namen rief. Er hatte einen Brief in der Hand, stützte sich auf einen Stock. Seinem Fuß gehe es schon besser. Stefan schimpfte ihn, daß er wegen des Briefes den weiten Weg gegangen sei, sagte: »Komm, ich begleite dich zurück nach Gello«, und steckte den Brief in die Hemdtasche. Während sie den Pfad hinaufgingen, erzählte Mario wieder, daß er als lediges Kind einer Magd auf Mora geboren worden sei und daß damals in dem kleinen Hof fünfzehn Knechte hausten. Er blieb stehen, zeigte ihm einen riesigen Kirschbaum, der auf einer Terrasse unterhalb des Weges wurzelte: Die Kirschen seien alle von den Vögeln gefressen worden. Stefan hatte den Baum noch gar nicht bemerkt. Vor dem Morgengrauen seien die *contadini* auf die Felder und Terrassen gegangen und erst in der Dämmerung zurückgekehrt zum Schlafen. Immer wieder einmal habe es Waldbrände in der Gegend gegeben, den letzten großen Brand im Jahr 1957.

Als sie das Dorf erreichten, war es dunkel geworden. Das erste Haus war das von Ferretti. Antonio hätte Mora gekauft, hatte Mario einmal erwähnt, hätte der bloß geahnt, daß es zu haben wäre; er sei der reichste Mann weit und breit, besitze fünf oder sechs Häuser und zweihundert Hektar Grund, und seine Familie sei – von einigen alten Frauen abgesehen – die einzige im Ort, die die Konservativen wähle. Unter dem Dach befand sich ein Taubenschlag. Durch das geöffnete Fenster sah man in die Küche. Sie grüßten hinein und wurden ins Haus gebeten. Stefan wollte jetzt umkehren; in Mora waren Tür und Fenster offen, er dachte an die Fledermäuse, und auf dem Küchentisch lagen Zucchini, die er gerade in Scheiben geschnitten hatte, um sie zu braten – aber nicht für die Mäuse!, doch ließ er sich von Mario ins Haus schieben. Stühle wurden hingestellt, Weingläser auf den Tisch gestellt. Cristina, die Hausfrau, walkte weiter auf dem Tisch einen Nudelteig aus, Benita, die mollige Tochter, strickte am Fenster. Im letzten Sommer war er schon einige Male hier gesessen. Damals hatte Mario erwähnt, daß Stefano gern einige Flaschen Wein kaufen wolle. Antonio war in der Speisekammer verschwunden, hatte vier Korbflaschen gebracht und vor ihm auf den Boden gestellt. Er war froh gewesen, für eine Weile eingedeckt zu sein. »Bezahl ihn, wenn du die leeren Flaschen bringst«, hatte Mario gesagt. Stefan hatte den Wein, den er gerade trank, gelobt, und Antonio hatte erfreut genickt. Ob er in Mora leere Flaschen habe, fragte Antonio später, er habe immer Bedarf an Flaschen. Benita kam mit einem Pullover, noch ohne Ärmel, fragte Stefan etwas, er verstand sie nicht. »Ob du einmal hineinschlüpfen könntest«, erklärte ihm Mario, »ihr Verlobter hat eine ähnliche Statur.« Benita errötete, er tat ihr den Gefallen, und alle lachten. Ein Maurer, auf dem Flanellhemd und im Gesicht noch Mörtelspritzer, kam herein, setzte sich an den Kamin. Stefan beobachtete, wie Antonio mit einem zusammengerollten Stück Zeitungspapier die Ölschicht aus dem Hals einer Korbflasche entfernte. Es war Mario, der dann aufbrechen wollte, er müsse was zum Essen herrichten, die Kinder seien wieder bei ihm, er sei von seiner Arbeit beurlaubt bis auf weiteres, bei vollem Lohn, er werde die Kinder vorläufig selbst versorgen. Die *comune* habe ihm sogar zugesagt, daß demnächst jeden Vormittag eine Frau aus Fibocchi für zwei

Stunden zu ihm ins Haus kommen, nach dem Rechten sehen und kochen werde. Eine der beiden Weinflaschen, die Antonio gebracht hatte, ließ er bei Mario auf der Kommode, saß dann noch eine Weile auf der Hausbank. Die Nachbarn, meist Maurer oder Straßenarbeiter, kamen einer nach dem anderen aus ihren Wohnstuben die Treppe herunter, schlossen ihre ebenerdig zur Piazza gelegenen Kellertüren auf und erschienen nach einer Weile mit einer Flasche Wein. Die schmalen Häuser waren Mauer an Mauer gebaut, begrenzten den kleinen Platz, auf dem kaum ein Wagen wenden könnte. Aus den offenen Fenstern hörte er Geschirr- und Besteckgeklapper und die Fernsehnachrichten.

Das turmförmige, äußerlich unscheinbare Haus von Seiffert an der Hauptgasse von Pontenano hatte an seiner alten Holztür als Türklopfer einen Löwenkopf aus Messing. Die Vorderfront mit den geschlossenen Läden wirkte abweisend. Beinahe hätte er auf der Bergstraße, die durch finstere Nadelwälder zum 1600 Meter hohen Gipfel des Pratomagno führte, die Abzweigung nach Pontenano übersehen.

Seiffert öffnete, schien sich zu freuen, streckte ihm beide Arme entgegen, ließ sie wieder fallen. »Gut, daß Sie pünktlich sind, das Essen ist fertig. Ach verzeih …, verzeih!« Heute hatte er mehr Farbe im Gesicht, bewegte sich mit Elan, ließ Stefan in einem großen Zimmer mit ziegelfarbenem Kachelboden allein. Die weißen Steinmauern mit exakt verputzten Fugen wirkten wie mit einem Staubsauger gereinigt, die neu aussehende Holzdecke wurde von vier mächtigen Balken gehalten. An den beiden Fensteröffnungen sah man die Dicke der Hausmauer. Zwischen den Fenstern stand eine alte, schön gebeizte, niedrige Kommode, darüber ein Bild, ein gerahmter Druck: Auf einem erhöhten Podest stand ein alter Mann in Toga, gestützt von zwei Frauen, darunter ein bekränzter junger Mann, der einen Stier an einem seiner Hörner hielt oder führte; auf der anderen Seite eine weibliche und eine männliche Person, zwischen ihnen ein

Tisch und eine Amphore. Mit einem Abstand zum rechten Fenster war ein Eßtisch mit weißem Leinen gedeckt. Hinter dem Tisch ging der Blick, allerdings zweigeteilt, durch den Stamm eines Maronibaums, der nahe am Haus aufragte, hinunter in die hügelige Landschaft. Am Ende des leicht abfallenden Grundstückes erkannte er einige mächtige alte Stümpfe von Olivenbäumen, aus denen stattliche Triebe wuchsen. An das linke Fenster war ein moderner Schreibtisch gerückt, bei dem die dicke, fein gemaserte Platte auffiel. Die modernen Stühle am Eßtisch paßten gut in den Raum. Darüber hingen an dünnen Kabeln zwei schmale, röhrenförmige Messinglampen. Als er sich dem Bild über der Kommode zuwandte, näher trat, kam Heinrich mit einem großen Tablett herein. Die Drucke habe er vor ein paar Jahren im Museum in Neapel gekauft, wo diese gut erhaltenen Fresken aus Pompeji ausgestellt seien. »Denkt man dabei nicht an den König Lear mit seinen beiden Töchtern?« Es handle sich jedoch um die Sage von Jason und Pelias.

Während des Essens fragte er Stefan, ob er schon in Florenz gewesen sei, in Volterra, ob er Ausflüge mache. Er sei früher mit seinem kleinen Fiat viel in der Gegend herumgefahren, nur nach Pisa und Lucca sei er nie gekommen.

»Den Espresso nehmen wir später im Garten, ist es dir recht?« Er wolle sich nebenan eine halbe Stunde hinlegen. Im Sommer schlafe er im Gästezimmer herunten, weil das Dach nicht isoliert sei. Er solle sich ruhig umsehen im Haus. Einen Stock höher seien das Studierzimmer mit der Bibliothek, und das Winterschlafzimmer. Das Geschirr könne stehen bleiben. Rosa, eine junge Frau aus der Nachbarschaft, werde sich später darum kümmern.

Stefan wandte sich dem Bild neben der Tür zu, es sah von weitem aus wie ein Wandteppich. Ein breiter blutroter Rand, die Bildfläche elfenbeinfarben; darauf, mit einem feinen Ornament umrandet, bloß die Figur eines Mannes in Tunika, mit Kapuze, ohne Gesichtszüge, der rechte Arm ausgestreckt. Es war nicht zu erkennen, ob er eine Lampe oder einen sakralen Gegenstand in der Hand hielt. Die Haltung des Mannes hatte etwas Demonstratives, als wolle er jemandem bedeuten: Bis hierher und nicht weiter! Die Treppe hinauf waren an der rustikalen Wand schräg verlaufende Bücherregale angebracht, voll mit verstaubten Büchern. Das obere Zimmer war wegen der weißen Wände sehr hell. Außer dem schmalen Bett sah er nur zwischen den beiden Fenstern einen schweren alten Schreibtisch mit Stuhl. Ein einziges Regal befand sich im Zimmer, gegenüber der Wand, an der das Bett stand, es enthielt die römischen und griechischen Klassiker, unter anderem viele Ausgaben der zweisprachigen *Tusculum*-Reihe. Er suchte den Plinius, er besaß bloß eine Auswahl-Ausgabe, dachte, die paar Seiten über den Ausbruch des Vesuvs im Jahr 79 nach Christus könnte er jetzt noch einmal lesen. Der gerahmte Druck über dem Bett gefiel ihm: ein verspieltes Aquarell, eine Reihe schwebender roter Dreiecke; darüber schräg stehend ein zartes Gebilde, ein angedeutetes Stundenglas, in dem ein ockerfarbener Bodensatz zu erkennen war. Er beugte sich zu der Signatur und las den Namen Julius Bissier, der ihm noch nie untergekommen war.

Im Garten raschelte es immer wieder heftig in der Krone des Maronibaums, man hörte auch pfeifendes Gezeter. Eichhörnchen, sagte Seiffert, womöglich fange eine Regenperiode an. Es wäre dringend notwendig, das Wasser werde knapp hier heroben. Sein Reden war etwas steif, so wie sein Gang, dachte Stefan, er machte kleine Trippelschritte. Plötzlich wußte er nicht, was er mit Heinrich reden sollte – dabei hatte er sich sehr auf ein Gespräch gefreut. Da Heinrich, als sie sich in den Garten begeben hatten, gesagt hatte, er wisse gar nicht, ob Stefan verheiratet sei, und Stefan von Monika erzählt hatte, fügte er jetzt hinzu, seine Freundin habe vor vielen Jahren, als sie noch sehr jung war, eine Totgeburt gehabt, und das sei wohl die Tragödie ihres Lebens gewesen; richtig froh habe er sie eigentlich nie erlebt. Sie sei zwölf Jahre älter als er, aber das sei – für ihn jedenfalls – nicht der Grund, daß sie beide in letzter Zeit eine Trennung überlegt hatten. Jetzt fiel ihm ein, was er sich auf der Fahrt nach Pontenano vorgenommen hatte zu sagen: »Heute früh habe ich mich an die Osterferien vor zwei Jahren erinnert, wie wir uns auf dem Bahnhof von Arezzo begegnet sind. Wären die Waggons des Zuges ab Neapel geheizt gewesen, wäre ich die Nacht durchgefahren bis Rosenheim, hätte dich nicht kennengelernt, wäre nie nach Mora gekommen … Ich mag mir das gar nicht vorstellen.« Und er erinnerte sich, wie zuversichtlich er plötzlich gewesen war, vor zwei Jahren, als Heinrich ihm auf der ersten Reise ins Valdarno Mora gezeigt und ihn am Abend in seinem winzigen Fiat zum Bahnhof von Rassina gebracht hatte. Heinrichs Angebot, er solle sich Mora bewohnbar machen, hatte ihn belebt, so wie im Jahr danach das Angebot von Franz, ihm bei dem Filmprojekt zu helfen. Ihm war damals, als könnte sich damit endlich eine lang erhoffte Wendung in seinem Leben ereignen. Schon seit einiger Zeit hatte er sich nicht mehr vorstellen können, noch mindestens zwanzig, fünfundzwanzig Jahre bis zu seiner Pensionierung im Schuldienst zu verbringen.

»Das war kein Zufall«, sagte Heinrich. Ein Eichhörnchen huschte vorüber, mit etwas Nußähnlichem zwischen den Zähnen.

»Manchmal denke ich«, sagte Heinrich, »daß ich lange Zeit nichts anderes getan habe, als zu sammeln, schöne handliche Ausgaben der von mir geliebten Autoren. Von Petrarca gibt es nicht einmal hier in Italien alles, die Ausgaben seiner Briefe sind äußerst selten, ich habe in Rom und Neapel danach gesucht.«

Er fragte Heinrich, wie er ohne Auto zurechtkomme. Alessandro, ein Frühpensionist (hier sei fast jedermann arbeitslos oder Frühpensionist) fahre ihn einmal die Woche hinunter nach Talla, manchmal nach San Giustino, seltener nach Arezzo. Früher, sagte er, habe er sich die Medikamente aus Deutschland schicken lassen müssen, das habe sich in den letzten Jahren gebessert. Selina dränge ihn immer wieder, er solle den toskanischen Wohnsitz aufgeben und wieder nach Deutschland ziehen. Nachdem Petrarca sein Leben seit seinem siebten Jahr meist in der Provence verbracht habe, sei er mit fünfzig Jahren in seine Heimat zurückgekehrt, aber nicht nach Arezzo oder Florenz, sondern in die Nähe von Padua. »Ein Leben in einem Appartement in einem Wohnblock in Köln oder Düsseldorf kann ich mir schwer vorstellen, aber wer kann sagen oder sich auch bloß vorstellen, was das fortgeschrittene Alter möglicherweise an Veränderungen und Plagen bringen wird?« Wenn er von seinen Lieblingsdichtern erzählte, fiel Stefan auf, wirkte er plötzlich jünger, zugänglicher; manchmal fuhr er mit dem Zeigefinger an sein Kinn und lächelte beinahe. Er werde bald fünfundsiebzig. Noch habe er keine Schwierigkeiten beim Treppensteigen. Er besitze wenige Sachen, könnte in einer kleinen Wohnung leben, könnte, wenn es sein müßte, auf viele seiner Bücher verzichten.

Stefan sagte, sobald er wieder zuhause in Salzburg sei, werde er sich etwas von Petrarca beschaffen, und fragte ihn, was er lesen solle, er kenne ihn kaum. Und dachte: um mit Seiffert reden zu können, habe ich mir im Winter drei der teuren Ausgaben von Horaz, Vergil, Lukrez gekauft, und nun redet er über Petrarca. Heinrich erwiderte, daß er vor fünf oder sechs Jahren auf einmal beschlossen habe, nach Avignon zu reisen, um das Haus in Vaucluse, in dem Petrarca gelebt habe, zu sehen. Er habe sich eine Straßenkarte gekauft und gesehen, daß eine Autobahn nahe an dem kleinen Ort an der Sorgue vorbeiführe. Da habe er darauf verzichtet, nach Frankreich zu reisen. »Lies eine Auswahl des *Canzoniere*, sagte er, »und die Briefe. Auf deutsch gibt es derzeit, soviel mir bekannt ist, bloß eine winzige Auswahl … Alle diese Briefe, meist an Freunde gerichtet, sind *inszeniert*, auch der berühmte Brief über die Wanderung auf den Gipfel des Mont Ventoux. Diesen Bericht hat er erst fünfzehn Jahre später verfaßt … Was arbeitest du? Kommst du zum Schreiben? Sieht man eigentlich von Mora aus die Autobahn?« Stefan antwortete, wenn er abends oder nachts, am südlichen Abhang, über den verwilderten Terrassen stehe, sehe er in weiter Ferne, in der Gegend von Laterina die Scheinwerferlichter der Autos blinken, eine wurmartige Lichterkette. Und daß er bis jetzt noch keine Zeile geschrieben habe, bloß einige Notizen. Nachdem er den Roman von Bulwer-Lytton gelesen habe, sagte er, sei er sich sicher gewesen, daß ihm etwas Besseres gelingen werde. Er habe jedoch keinen fixen Ablieferungstermin, der Verleger sei ein Freund und dränge nicht. Er sei einfach der Illusion erlegen, daß er sich nach den wichtigsten Arbeiten der ersten zwei, drei Wochen auf Mora wenigstens nachmittags an die Schreibmaschine würde setzen können. Aber er müsse, ohne Kühlschrank, jeden zweiten Tag einkaufen fahren. Und er genieße das ja. Nach den Einkäufen verstaue er die Säcke im Auto – in San Giustino finde er immer einen Abstellplatz zwischen den Pinien des schattigen kleinen Parks, dann gehe er in die Bar, trinke einen Aperitif, vergesse die Zeit, schaue eine Zeitung durch, auch um ins Italienische besser hineinzukommen. Er sagte: »Alles was meine Freundin – von der ich mich eigentlich trennen möchte – aber das geht nicht so auf einmal –, mir von zuhause berichtet, erscheint mir, als wäre es von jenseits des Atlantiks.«

Er erwähnte auch, daß er sich umgesehen habe wegen eines kleinen Kühlschranks, es gebe welche, die mit Propangas betrieben werden, aber heuer habe er kein Geld mehr übrig. Derzeit habe er vor, wenn es nicht zu kalt werde, bis Ende Oktober in Mora zu bleiben. Vielleicht freuten ihn auch die größeren und kleineren Arbeiten in Mora mehr als das Schreiben, sagte er, vor allem beeindrucke ihn das völlig andere Zeitgefühl, die Zeit scheine sich zu dehnen, ihr Lauf zu verlangsamen, nie sonst genieße er so den Augenblick. Zuhause sei ihm die Zeit davongewischt; meistens habe er, wenn er an der Reihe war, Gerichte gekocht, die schnell fertig waren – hier mache es ihm nichts aus, Stunden mit Kochen und Essen zu verbringen, und nie habe er das Gefühl, die Zeit vertan zu haben. Er berichtete von der Schneise, die sich den Hügel bei Gello herabziehe. Mario Rossi habe ihm erklärt, es würden neue Strommasten gesetzt, die Masten verliefen vorläufig bis zum Haus von Marini (die alten seien bis Gello gesetzt worden), das hieße, sie wären dann bloß noch einen knappen Kilometer von Mora entfernt; es würde nicht viel kosten, den Strom bis zum Haus leiten zu lassen. Stefan sagte, er könne auf Mora sehr gut ohne Elektrizität leben, die Petroleumlampe und die Taschenlampe würden ihm genügen. Er gehe schlafen, wenn es finster werde, und stehe früh auf. Ein Kühlschrank wäre angenehm, aber sobald der hintere, kühle Stall verputzt und mit einer exakt schließenden Tür versehen sei, könne man darin Nahrungsmittel lagern. Das Radio sei mit Batterien zu benützen; auf das Fernsehen könne er am allerleichtesten verzichten. Solange sein Vater zuhause gewesen sei, hätten sie keinen Fernseher gehabt, der habe das abgelehnt. Wenn er sich ein Skirennen habe ansehen wollen, habe er zu den Nachbarn gehen müssen. »Mit dreißig Jahren ungefähr, als ich bei meiner Freundin einzog, habe ich mit einem Fernsehapparat zu leben angefangen.« Heinrich erwiderte, wenn Einheimische oder Freunde aus Arezzo ihn besucht hätten, sei die erste Frage jedesmal gewesen: *Dov' è la televisione?* Er habe seinen alten Fernseher aus Deutschland mitgebracht, und, als dieser nicht mehr funktionierte, keinen neuen gekauft, denn das italienische Fernsehen sei noch viel schlechter als das deutsche; wenn er fernsehen wolle, setze er sich in die Bar. Jetzt habe er, außer Alessandro – den er aber nicht als solchen bezeichnen würde –, nur noch einen einzigen Freund, Alberto, einen Kollegen gewißermaßen, *professore*, Präsident der *Societa Francesco Petrarca* in Arezzo. »Dort hab ich früher jedes Jahr einen kleinen Vortrag gehalten«, sagte er. »Jetzt schreibe ich an einer Studie über die Beziehung zwischen Petrarca und Karl IV. Entwickle diese Studie aus einem Vortrag, den ich vor fünf Jahren in Arezzo gehalten habe ... Wie schnell diese Jahre hier verstrichen sind!«

Als Stefan sich verabschiedete, versprach Heinrich, bald einmal nach Mora zu kommen, um die Arbeiten zu besichtigen. »Alessandro wird mich chauffieren, ich hoffe, du bist dann nicht gerade unterwegs.« Einkaufen, sagte Stefan, fahre er immer erst nachmittags gegen halb fünf.

Auf der Heimfahrt hielt er am Bona-Brunnen. Während der dünne Strahl in seinen Behälter floß, näherte sich ein BMW mit Florentiner Kennzeichen, fuhr dem Simca beinahe an die hintere Stoßstange. Der Fahrer, ein etwa fünfundvierzigjähriger Mann in schwarzer Lederjacke, trug ein Flaschengebinde mit zwölf leeren Flaschen, stellte es neben den Brunnen, zündete sich eine Zigarette an, ging unruhig auf und ab, schaute auf seine Uhr, erwiderte Stefans *buona sera* nicht.

Mit dem Rucksack spazierte er nach Castiglion Fibocchi hinunter; eine gute Stunde würde er zu gehen haben, schätzte er, zurück etwas mehr. Es fiel ihm ein, daß er zur Zeit kaum über etwas nachdachte, nur darüber, was zu tun war in Mora, über die tägliche Arbeit oder was einzukaufen sei. Der Traum dieser Nacht fiel ihm ein: Kollege Steiner hatte ihm im Lehrerzimmer gesagt, Monika wolle sich von ihm trennen. Seltsam, er hatte tagelang gar nicht an sie gedacht. Wie gerne hätte er unterwegs jemanden getroffen, um ein wenig zu plaudern; die Offenheit und Lust zum Gespräch hier in der Gegend beeindruckte ihn immer wieder. Auf dem Güterweg begegneten ihm nur zwei Staub aufwirbelnde Autos. Schön geformte und gemaserte Steine, in den Weg eingetretene, eingefahrene, fielen ihm auf. Einige, nahm er sich vor, würde er auf dem Rückweg mitnehmen, und versuchte sich die Stellen zu merken. An einer Wegbiegung, um einen der Ausläufer des Berges herum, der Blick in die Talebene des Valdarno. Schräg unten auf dem Hügel lag Fibocchi; der Turm der Kirche und der Rathausturm ragten weit in die Höhe. Rund um die mittelalterliche Ansiedlung standen Reihenhaus-Siedlungen, Appartementhäuser; neue breite Straßen waren errichtet worden, und es wurde weiter gebaut. Es seien hauptsächlich Städter aus Arezzo und sogar aus Florenz, die sich hier einen Zweitwohnsitz kauften, um der schlechten Luft und dem Lärm der Stadt wenigstens am Wochenende zu entfliehen, hatte er in Gello gehört. Andere fuhren sonntags mit Autos und Motorrädern in einer langen Kolonne die Paßstraße hinauf; das Röhren der Motoren war den ganzen Vormittag zu hören; an einer Schneise, wo die Straße nicht von Bäumen verdeckt war, waren sie auch von Mora aus zu sehen, die lakkierten Karosseriebleche reflektierten das Sonnenlicht. Manchmal drehte ein Motorradfahrer den Motor seiner Maschine hoch, überholte einen Teil der sich stauenden Kolonne. In La Crocina gab es ein beliebtes Ausflugslokal. Die Leute, so Mario, campierten dort in Unterleibchen und Büstenhaltern im schattigen Unterholz, lasen Zeitung, hörten Autoradio. Am späten Nachmittag fuhren sie alle wieder zurück, bergab; stundenlang das Gehupe, manch einer schien eine Hand auf der Hupe gedrückt zu lassen, als verschaffe ihm das einen Vorsprung.

Immer wieder blieb er stehen und hob einige der sandfarbenen Steine auf; einer gefiel ihm so sehr, daß er ihn einsteckte; die Form der Maserung wirkte wie von einem Künstler graviert.

Eine Weile war er der einzige Gast in der geräumigen Bar von Fibocchi. Der Barmann wusch Gläser, Stefan setzte sich an einen der dunklen Holztische im Hintergrund. Es war hell genug, damit man die Zeitung lesen konnte. Auf der Rückseite des Einkaufszettels notierte er sich unbekannte Wörter. Plötzlich drängten sich junge Mädchen herein, alle im gleichen rotgrünen Sportlerdreß, am Rücken halbkreisförmig der Name eines Vereins aufgedruckt; sie schrien durcheinander, wetzten ungeduldig an der Theke herum, zückten Lirescheine, boxten einander zur Seite.

Auf dem Heimweg, es war sehr heiß, flatterte ein dunkelgelber Schmetterling vor ihm her. Er hoffte, er würde sich einmal niederlassen. Gleich darauf, als Stefan stehen blieb und den schweren Sack mit Kartoffeln absetzte, tat er es, landete auf der Spitze seines rechten Schuhs, breitete seine Flügel aus. Als Stefan wegen eines sich nähernden Autos auf die Seite treten mußte, flog er weg. *Es werden Flügel kommen*, hatte er im letzten Winter in Tagebuchnotizen Leonardo da Vincis gelesen. Technische Erfindungen und moderne Architektur beeindruckten ihn meist bloß auf dem Papier, als Entwurf.

In der Nacht hatte er eine Erschütterung gespürt, er dachte an ein leichtes Erdbeben. Morgens, er lag
noch auf der Matratze, erinnerte er sich, daß er in der
Nacht mit der Taschenlampe in die Küche gegangen war,
um Wasser zu trinken, wie der Lichtstrahl der Lampe zufällig die Mauer entlanggestreift war und er gesehen
hatte, wie kleine Insekten sich blitzschnell in die Mauerlöcher und Ritzen zurückzogen. Danach hatte er lange
nicht einschlafen können, er dachte über die Unsterblichkeit nach, das Leben der Bakterien, die den menschlichen
Organismus bevölkerten und selbst den Leichnam noch
eine gewisse Zeit mit einer Art von Leben erfüllten, bis sie
nach dem Zerfall in andere Organismen übergingen, in
Würmer und Wurzeln ... Wie dünn die Haut des menschlichen Lebens war: Ein kräftiger Ritzer an bestimmten
Stellen des Körpers, und man verblutete, wenn keine Hilfe
möglich war. Klebte man einem Menschen Nase und
Mund zu, so erstickte er in kurzer Zeit. Ohne Flüssigkeit
überlebte er nur wenige Tage.

Auf einmal hörte er draußen jemanden rufen. Er
sprang auf und öffnete den Fensterladen im Vorzimmer.
Ein Mann um die siebzig, sonnengebräuntes Gesicht,
stand vor der Treppe, in der einen Hand eine Machete, in
der anderen eine Sichel und einen gegabelten Stock. Er erinnerte sich, Pepe. Neulich hatte er Mario um einen Tag-

löhner gefragt, der den Dornenwall, welcher den Eingang zum großen Stall auf der Südseite unzugänglich machte, entfernen könne, auch die Dornenbüsche an den Rändern der Wiese vor dem Haus und auf der ersten Terrasse, zwischen den Olivenbäumen. Die Sträucher mußten samt den Wurzeln gerodet werden. Er öffnete die Tür, begrüßte Pepe, zog sich rasch an, zeigte ihm das Terrain. Pepe sprach einen harten Dialekt, manchmal verstand er ihn nicht. Er holte die in Talla gekaufte Sense aus der Werkstatt. Das Sensenblatt (auf dem *made in Austria* eingraviert war) beeindruckte Pepe. Die Wiese vor dem Haus, sagte Stefan, habe er halbwegs befreit von den Brombeersträuchern, die wolle er selber mähen, bis hin zu der Doppelreihe der Olivenbäume. Als er, um das Gerät auszuprobieren, einige Schwünge mit der Sense zog, nahm Pepe sie ihm aus der Hand und zeigte ihm, wie er sich hinstellen müsse, wie er den Bogen zu führen habe. Vor vielen Jahren, als noch Leben war auf Mora, sagte Pepe, sei er ein paarmal heroben gewesen, zwei hübsche Mägde hätten hier gelebt.

Da an diesem Tag jemand in der Nähe war, wagte er es, aufs Dach zu steigen, um die Ziegel von Schwamm und Sand zu reinigen, etliche vom Wind verschobene zurechtzurücken und vor allem die schadhaften zu zählen. Unter einem der nach Moos riechenden Ziegel hörte er eine Hornisse summen. Ein Bussard oder Habicht kreiste hoch oben über dem Osthügel, manchmal verharrte er lange unbeweglich am Himmel. Mittags, während er kochte, fragte er zwischendurch Pepe, ob er hereinkommen wolle ins schattige Vorzimmer, wo er einen Klapptisch aufgestellt hatte. Nein, er esse lieber draußen. Und stapelte dann drei

Ziegel im Schatten der Hausmauer, setzte sich darauf, packte seine Mahlzeit aus der Ledertasche. Nachdem Stefan gegessen hatte, gesellte er sich zu ihm, setzte sich mit dem Weinglas auf die Erde. Pepe fragte ihn nach den politischen Verhältnissen in Österreich. In der Toskana regierten in fast allen Provinzen die Kommunisten; nur in Lucca seien die Konservativen an der Macht. Das sei die Folge der jahrhundertelangen Abhängigkeit vom Feudalismus. Stefan verstand nicht so recht, ob Pepe mit den Konservativen auch die Sozialisten meinte, denn er sagte, Mario sei eigentlich ein Konservativer, Vittorio hingegen, dessen Schwager, ein Kommunist alten Schlages, ein unbestechlicher Mensch. Als er ausgetrunken hatte, goß er Stefan von seinem Wein ein. Dieser Wein schmeckte viel besser. Er sagte, er vermische seine Trauben nicht mit denen anderer Bauern, wie die meisten es machten, er keltere mit seinem Bruder zusammen seinen Wein selbst. Er habe sein Leben lang als Taglöhner gearbeitet, wie sein Bruder, der ebenfalls Junggeselle geblieben sei; beide hätten sie gespart und gespart und sich vor fünf Jahren einen alten Hof mit acht Hektar Grund gekauft, drunten bei Campogialli: »So eine Arbeit wie heute bei dir«, sagte er, »mach ich jetzt nur noch selten, mein Kreuz tut es nicht mehr.« Er habe keine großen Ansprüche an das Leben, aber der Wein müsse in Ordnung sein, das Öl, die Pfirsiche, der Ziegenkäse. Das gekaufte Zeug sei ungenießbar. Er reichte ihm kleine getrocknete Apfelstücke; Stefan kaute sie, ließ sie im Mund zergehen, das köstliche Aroma breitete sich aus. Als dann auch Pepe fragte, ob er keine Angst habe, ganz allein hier nachts, mußte er lachen. Ob er keine Braut habe? Allein zu leben sei nicht angenehm. Er habe in seinen jungen Jahren nicht daran denken können zu heiraten. Stefan sagte, Frauen würden sich ekeln vor Mäusen und Spinnen, erst müßten die Böden und das Dach abgedichtet werden.

Am Abend lagen große Bündel von eingerolltem Dornendickicht um das Anwesen herum; er half Pepe, sie mit der Gabel auf die Wiese vor dem Haus zu schleppen, es wurden zwei mächtige Haufen. Die Abendsonne beleuchtete das Haus und den Platz davor, alles war so ungewohnt nackt und überschaubar; er dachte, jetzt trau ich mich barfuß ums Haus herum zu gehen. Auch der alte Backofen war befreit von Dornen und Schlinggewächsen, nur den Lorbeerbaum daneben hatte Pepe stehen lassen. Er sagte, er habe im seitlichen Holzablagefach des Backofens eine Schlange gesehen, möglicherweise eine *vipera*, er solle vorsichtig sein. Da jetzt jemand das Haus bewohne, würden sie sich bald zurückziehen in die Steingemäuer der Terrassen, sie scheuten die Menschen. Der Backofen sei in Ordnung, darin könne man Pizze backen oder Lasagne. Er bat Pepe noch, den dicken Ast des Olivenbaums abzusägen, der bis zum Fenster des Schlafzimmers heranragte, eine willkommene Einstiegshilfe für alle möglichen Tiere (er verschwieg, daß er manchmal fürchtete: auch für Menschen). Er holte die Leiter, die Mario hiergelassen hatte.

Nachdem Pepe seine Sachen auf dem Rücksitz des Autos verstaut hatte, sagte er, er würde am nächsten Morgen früh um sechs vorbeikommen, dann könnten sie das Zeug verbrennen. Stefan solle Schaufeln und einige Kübel mit Wasser vorbereiten. Es müsse ganz früh geschehen, solange das Gras noch naß sei, sonst: pfft!, und er deutete mit der Hand an, daß ein einziger Funke genüge, um einen Flächenbrand auszulösen.

In der Küche fand er dann in einer Mausefalle einen Skorpion, der mechanisch die unversehrte Schere bewegte. Stefan war vom stundenlangen Hocken auf dem Dach krumm und erschöpft. Auf der obersten Treppenstufe zog er die Leinenschuhe aus. Die Ähren des wilden Hafers hatten sich – teilweise durch die Schnürlöcher oder zwischen die Ritzen der Laschen – in die Socken gebohrt und stachen, die Widerhaken ließen sich nur in Schlüpfrichtung entfernen. Mit dem Dunkelwerden endete für ihn jedesmal der Tag. Da die Sonne im Westen frühzeitig hinter dem Hügel verschwand, wurde es selbst jetzt bereits gegen halb neun Uhr dunkel. Sobald die Sonne und ihr Widerschein nicht mehr sichtbar waren, erschien über der Hügelkette der Abendstern. Nach der Mahlzeit aus Ziegenkäse, Salami und Weißbrot setzte er sich wieder auf die Treppe und hörte auf einmal im ungemähten Teil der Wiese junge Wildschweine mampfend und leise grunzend immer näher herankommen. Er schlich sich einige Schritte an, imitierte ein Grunzen; als eines der kleinen Kerlchen antwortete, mußte er lachen; er sah die gesprenkelten Rücken von vier oder fünf jungen Ferkeln, die quiekend davonstoben. Jetzt wurde ihm bewußt, wie leichtsinnig er gewesen war: Wo junge *cinghiali* auftauchten, da war auch die Muttersau nicht weit, das hatte er oft genug gehört. Sicherheitshalber klatschte er ein paarmal mit den Händen.

Vittorio, Marios Schwager, der jeden Mittwochnachmittag frei hatte und nach Gello kam, hatte er im letzten Sommer kaum kennengelernt, die Familie war im August am Meer gewesen. Als er gerade mit dem Wasserkanister losmarschieren wollte, erschienen beide in Vittorios Fiat. Sie zogen die Äste der Pflaumen- und Feigenbäume herunter, daß sie knackten, prüften die Früchte. Dann wollten sie zur Quelle, dem Verlauf des Schlauches folgen, und Stefan war froh, daß die beiden vorangingen durchs sonnenverbrannte struppige Gras. Am nächsten Tag, sagte er, würde er beginnen, die Schläuche einzugraben. Immer wieder mußten sie sich unter tiefhängenden Ästen oder umgestürzten Bäumen durchbücken. Die letzten fünfzig Meter verliefen im kühlen Wald, sie kletterten einen felsigen Hang zum Bett der Quelle hinauf. Oben war das Gelände eben. In einer Felsmulde, die Mario im Winter breiter und tiefer ausgestemmt hatte, sammelte sich das Quellwasser, das von einem Felsengeröll heruntersickerte. Vittorio bückte sich, schöpfte mit beiden Händen Wasser und trank davon. Das Wasser sei gut. Es komme vom Berg, hier sei kilometerweit niemand, der es verunreinigen könnte. Voriges Jahr hatte er dieses Wasser getrunken, ehe Seiffert zur Vorsicht riet; seither nahm er es nur noch zum Kochen und Waschen. Auf der klaren Wasseroberfläche flitzten Insekten mit langen haardünnen Extremitäten. Es gebe Wassertanks mit Anschlüssen für den Schlauch, meinte Mario, und zeigte, wo er ihn einmauern würde; mit einem Zweihundert-Liter-Tank wäre immer genügend Wasserdruck im Schlauch. Er fragte Vittorio, ob er als Einkäufer für die *comune* den Tank mit dreißig Prozent Rabatt besorgen könne.

Beim Brunnen traf er den alten Augusto, der sich im vorhergehenden Sommer auf der Hausbank von Mario einmal mit seinem Stock neben ihn gesetzt und ihn ausgefragt hatte. Ihr Gespräch jetzt verlief ähnlich. Wann er angekommen sei, ob er allein sei in Mora, wie lange er bleibe? Obwohl es in der vergangenen Woche geregnet hatte, sprudelte bloß ein dünner Strahl aus dem Eisenrohr. Augusto wollte ihm Platz machen, schob eine seiner Zweiliterflaschen auf dem Brett beiseite, aber Stefan beteuerte, er habe es nicht eilig, hockte sich auf die Grasböschung. Ob er auch dieses Wasser so liebe? fragte Augusto hustend. Er lud ihn ein, mit ihm zu seinem Haus hinaufzusteigen und seinen Wein zu probieren. Geduldig wartete er ab, bis Stefans Kanister gefüllt war. Er half Augusto den Rucksack überzustreifen. Sein alter Rock roch nach Harz und Heu. Sie stapften den steilen Geröllweg hinauf, und er bereute, den Zehn-Liter-Kanister nicht einfach irgendwo am Wegrand unten abgestellt zu haben. Augusto sei, wie er stolz sagte, im März sechsundachtzig Jahre alt geworden. Stefan war jedesmal erleichtert, wenn der Alte eine kurze Rast einlegte. Das auf den ersten Blick festungsartige zweistöckige Haus sah baufällig aus; es stand wie Mora auf einem kleinen felsigen Plateau, ringsherum führten die Terrassen hügelan, hügelab. Federvieh scharrte in einem eingezäunten Areal.

Als sie ins Haus traten, hörte er drinnen eine Frau mit schriller Stimme schreien. Schon wollte er umkehren, erinnerte sich an einen Vorfall im letzten Jahr: Wie er mit dem Simca auf dem schmalen Weg den 500er Fiat von Antonio, dem Sohn Augustos, auf einer Fahrt nach Gello leicht gestreift hatte. Der Fiat war in einer Linkskurve so abgestellt gewesen, daß er fast nicht vorbeikam, ohne in den Graben zu rutschen. Es handelte sich um ein paar Kratzer in dem ohnehin verbeulten Kotflügel. Mario erzählte ihm dann ein paar Tage später, jemand habe ihm gesagt, Nardo Marini habe mit dem Anzünden von Mora gedroht. Die Bäuerin berichtete von einem Mißgeschick: Beim Einkochen von Tomatensaft seien ihr zwei der Flaschen zerplatzt. Sie deutete in der dunklen Küche auf den über dem heftig lodernden Kaminfeuer hängenden Kessel. Augusto stellte eine zierliche Rotweinkaraffe und zwei kleine Gläser auf den Tisch. Auf einmal redete er in so fürchterlichem Dialekt, daß Stefan nichts mehr verstand. Sein Herz stockte, als Nardo in blauer Latzhose und grauer Mütze in die Küche trat. Aber er lächelte ihn an, er solle doch sitzenbleiben. »Wie geht's auf Mora?« Seine Frau erzählte auch ihm ihr Mißgeschick, er beruhigte sie, kratzte sich mit einer Hand am Hinterkopf, ohne die Mütze abzunehmen. Augusto nickte, als Stefan den Wein lobte; leider bemerkte er nicht, daß das Gläschen längst leer war. Stefan schien, noch nie habe er etwas ähnlich Köstliches getrunken. Augusto nannte seinen mindestens sechzigjährigen Sohn *mio ragazzo*. Nardo setzte sich nun auch an den Tisch, knipste ein Winzigradio an, die Bäuerin stellte ihm eine Schüssel mit dicker Gemüsesuppe hin.

Er merkte, daß Stefan nichts zu trinken hatte. Als er das Glas hob und auf seine Gesundheit trank, meinte Nardo, sein Arzt wolle ihn zur Kur nach Cianciano Terme schikken, wegen der Leber; aber er könne hier nicht weg. Wenn er ein paar Wochen fort wäre, würden die Dornenzweige zum Fenster hereinwachsen. Eine Glucke mit sechs gelben Küken kam über die Schwelle. Nardo zeigte ihm den schön gemusterten, etwa zwanzig Zentimeter langen Stachel eines Stachelschweins, den er aus der Tischschublade nahm. »Die Natur hat einen guten Geschmack, nicht?« Als Stefan dann fragend zur Bäuerin blickte – wieder hatte er nicht verstanden, was Augusto ihm zurief – sagte sie, es stimme, er nehme bloß noch Wein und Brot zu sich, ab und zu ein wenig Polenta.

Er mochte die nachmittägliche Stimmung im kleinen Westzimmer, in dem auf zwei Böcken die große Tischplatte lag, sein Arbeitstisch, schräg vor dem Fenster. Diese schön gemusterte Platte aus massiver Fichte, die er auf dem Dachträger mitgebracht hatte, war eigentlich das kostbarste Möbelstück im Haus. Gegen halb sechs schien die Sonne waagrecht zum Fenster herein; alle Gegenstände auf dem Tisch wurden in ein goldenes Licht getaucht. Er setzte sich, badete in dem Licht, es währte bloß eine halbe oder dreiviertel Stunde. Da lagen zwei der Bücher, die er mitgebracht hatte, der Vergil, das Reclam-Bändchen mit den Fragmenten Epikurs, Ciceros *Gespräche in Tusculum,* das Wörterbuch, Bleistifte, ein Notizblock und ein Brief seines Bruders, den er neulich in Marios Haus bereits geöffnet auf der Kommode entdeckt hatte; darin bestätigte Franz seinen Besuch in der zweiten Augusthälfte. Gianni habe den Brief irrtümlich geöffnet, hatte Lena gemeint.

Nach dem Essen – Brot, Tomaten und Schafkäse – setzte er sich mit dem Notizblock vors Haus. Unangenehmes Gefühl, wenn ihm bewußt wurde, wie ferne das geplante Buch ihm war; tagelang hatte er gar nicht daran gedacht. Der Einkaufszettel, den er am Tag zuvor bis zum Dunkelwerden überall im Haus gesucht hatte, vor allem in den an den Dachbalken der niedrigen Küche hängenden Kunststoffsäcken mit dem eingekauften Gemüse und Obst, lag, wie er gehofft hatte, im Auto zwischen den beiden Vordersitzen, an der halbkugeligen Gummimanschette des Schalthebels. Auf die Rückseite des Zettels hatte er am Tag zuvor, als er am späten Nachmittag zum Auto hinaufging, um einkaufen zu fahren, einen Einfall zum Pompeji-Roman notiert. Er kurbelte das Fenster hinunter, las die Notiz mehrmals *(Venus – Virgo – Hippolytos)* und konnte sich nicht mehr an den Gedankengang erinnern, den er am Tag zuvor (mit einem Sack leerer Mineralwasserflaschen den steilen Weg hinaufssteigend) zu entwickeln angefangen hatte. Die Göttin der Liebe als Verehrerin der Keuschheit? Jetzt war es bereits zu dunkel, um sich den Zeitungsartikel noch einmal vorzunehmen, aufgrund dessen er die Notiz hingekritzelt hatte.

Den Weg entlang beschnitt er die Brombeerranken und die Zweige, die mittlerweile hereingewachsen waren; beim Hinaufgehen jene rechterhand, beim Hinuntergehen jene links. Mario hatte erwähnt, daß unterhalb des Weges, südseitig, nach der Spitzkehre noch Reste der verkohlten Rebstöcke zu sehen seien, die in manchen Jahren sogar wieder austrieben.

Vor dem Haus beobachtete er im Westen eine Wolkenverschiebung am violetten Abendhimmel. Die Sonne war schon seit einer halben Stunde vom Hügel verdeckt worden. Nun erhellte sich wie durch Zauberei die Wiese vor dem Haus noch einmal. Das Gras wurde in ein warmes Licht getaucht, es schien an seinen Wurzeln zu glosen, sich beinahe zu entflammen. Oben in Gello hatten sie noch Sonne, ihr Widerschein schimmerte an einer Stelle durch die Schneise zwischen den beiden Hügelkuppen. Und schon war es wieder dämmrig; beinah fröstelte ihn.

Jemand näherte sich auf dem Weg, Schritte waren zu hören und ein Geräusch, als reiße jemand an Zweigen und lasse sie zurückschnellen. Es war Mario. Er kam, um die Stehleiter zu holen. Wenn Stefan sein Haus betrat, bot er sofort Wein an und hörte nicht auf, nachzuschenken, bis Stefan das Glas schließlich wegstellte und aufbrach. Er aber, kam er nach Mora, ließ sich nichts anbieten, außer manchmal ein Glas Wasser. Auch diesmal lehnte er es ab, Wein zu trinken. Ihm fiel auf, daß Mario, seit er Witwer war, bei sich zuhause kaum noch Wein trank; auch schien er keinen Wert mehr darauf zu legen, daß ein guter im Hause sei. Er müsse gleich wieder zurück, müsse mit Gianni nach Montevarchi, zur Anprobe bei der Schneiderin. Bald sei Firmung in Gello, der Bischof werde kommen. Er lobte die Rodungsarbeiten, schaute in die Gegend, als sei es noch hell genug, um etwas zu erkennen. Stefan könne sich gar nicht vorstellen, wie schön das Land anzuschauen sei. Vor dreißig Jahren noch … Wieder erzählte er vom Brand in Mora. Alle Weinstöcke seien abgebrannt und viele der Olivenbäume und Eichen. Das Haus sei verschont geblieben, bloß zwei Stalltüren hätten Feuer gefangen, man könne heute noch sehen, wo sie angesengt seien. Stefan fragte, ob die Arbeiter auf Mora mit ihrem Los zufrieden gewesen seien. Sogar die Kinder – er selbst zum Beispiel –, hätten arbeiten müssen, erwiderte Mario. Doch, sie hätten gerne hier gelebt. Sein Vater sei einer der *contadini* gewesen. Im Winter hätten sie die vielen Steinmauern ausgebessert, auf die die Terrassen sich stützten.

Heute gebe es weit und breit kaum noch jemanden, der aus Steinen und Steinblöcken eine Mauer aufrichten und fügen könne, die viele Jahre halte. Zu fünft hätten die Knechte in einer Kammer geschlafen. Beim Haus sei kein Trinkwasser gewesen, es habe in Bottichen mit dem Fuhrwerk von der Quelle oben geholt werden müssen. In der Erntezeit hätten sie sonntags gearbeitet. Aber es seien auch viele Feste gefeiert worden auf Mora, viele Feiertage habe es gegeben. Der Wein von hier sei berühmt gewesen, ebenso das Olivenöl. Im Jahr 1956 ungefähr sei der erste Landarbeiter vom Anwesen verschwunden und nach und nach seien andere weggegangen. Stefan fragte, ob das deshalb geschehen sei, weil sie einen Teil der Ernte an die Besitzerin hatten abgeben müssen? Damals hätten sie schon auf eigene Rechnung gearbeitet, erwiderte Mario. Signora Cassi habe nicht mehr gelebt, und die Erben hätten sich nicht um Mora gekümmert. Als es dann brannte und die Ernte vernichtet war, hätten die Arbeiter keine Lust mehr gehabt, wieder von vorne anzufangen, und seien nach und nach auseinandergegangen, einige hätten Arbeit in der Lederfabrik von Castiglion Fibocchi gefunden. Heutzutage sei guter Wein beinahe unbezahlbar, auch das Öl, ja, in den Städten müsse bereits das Trinkwasser teuer gekauft werden … Vielleicht also, meinte er, kämen die *contadini* eines Tages zurück aufs Land, wenn die Arbeit sich lohne. Aber sie würden nicht mehr bereit sein, zu fünft oder zu sechst in einer Kammer zu schlafen, erwiderte Stefan. Auf den größeren Höfen habe es eigene Gesindehäuser gegeben, sagte Mario, Mora sei bloß ein kleines Landgut.

Er begleitete Mario bis zum Brunnen, auch um für den Frühstückstee frisches Wasser zu haben. Oben auf der Straße war es noch hell. Mario blieb einen Moment stehen, hängte sich die Leiter auf die andere Schulter. Stefan sagte ihm, daß er heute wieder auf dem Dach gewesen sei. Die Ziegel und auch der Mörtel, mit denen der Kamin hochgemauert worden war, seien morsch, man könne sie mit den Fingern zerbröseln, einige seien schon aufs Dach gefallen, hätten Dachziegel gespalten. Und fragte ihn wieder, wann er Zeit hätte zum Besorgen der Ziegel. Er erzählte ihm, daß er in der Wanne, die er in der Küche unter dem Kamin aufgestellt hatte – hauptsächlich, um bei Gewitter das Regenwasser aufzufangen – zwei tote Eidechsen gefunden habe, obwohl er auf der Kaminöffnung oben ein feines Drahtgitter angebracht habe.

An diesem Abend blieb er hängen in Gello. Der Treffpunkt der Jungen war auf dem Platz vor dem Dorfeingang. Der mit dem schnittigsten Wagen, einen alten Alfa oder Fiat-Sport, saß in seinem Auto, bei eingeschaltetem Radio, die übrigen standen um den Wagen herum oder hockten auf einem Kleinmotorrad, unterhielten sich, neckten einander; der im Wagen streckte den Arm heraus, streifte die Asche von der Zigarette. Ein alter Mann mit grauer Gesichtsfarbe und schmuddeliger Mütze auf dem Kopf stand dabei, eine Zigarette im Mund, hustete ab und zu; die Jungen beachteten ihn nicht.

Nach dem Telefonieren setzte er sich an den Tisch in Marios Küche. Nur Lena war da, sie bereitete Fertig-Lasagne zu (auf dem Tisch lag die leere Papphülle der Tiefkühlpackung). Im Werbefernsehen neulich hatte eine junge hellblonde Frau gesagt, ihre (Fertig-) Ravioli würden wie die der *nonna*, der Großmutter schmecken (ganz wie bei uns zuhause!) Lieber würde er zwei, drei Tage nur Brot oder gar nichts essen, als solchen Fraß. Sie schüttete reichlich Ketchup darauf, ehe sie die Lasagne ins Backrohr schob. Dabei hätte sie Zeit zum Kochen gehabt, die Ferien hatten bereits angefangen. Sie langweilte sich vor dem Fernseher und kam doch nicht los davon. Er setzte sich für fünf Minuten (so dachte er) auf Marios Hausbank, da stand plötzlich Antonio Ferretti vor ihm, machte sich breit auf der Bank. Als er saß, erschien er Stefan besonders riesig und bullig. Sein Bart war schon mehrere Tage alt. Nach was roch er bloß? Stefan konnte mit ihm nicht reden, wußte nicht, was er sagen solle, aber immer wenn er ankündigte: »So, jetzt mach ich mich auf den Weg, ich hab auf Mora Tür und Fenster offen!«, sagte oder fragte Antonio wieder etwas. Er lud ihn noch einmal ein, in der Woche darauf mit ihm nach La Verna zu fahren, er habe dort zu tun. Stefan fragte ihn, wann er ihn einmal besuche in Mora, mit Cristina. Als er aufstand, rief Antonio ihm nach, er könnte ihm Brennholz verschaffen, zerkleinertes, zu einem günstigen Preis; Stefan dankte: im Winter werde er vorläufig wohl nicht nach Mora kommen. Antonio schloß sich ihm an. Es war dann schon völlig finster. Die leicht abfallende holprige Gasse hinunter zu seinem Haus war bloß von drei Glühbirnen erhellt, die in weiten Abständen an einem dünnen, durchhängenden Kabel hingen. Ein paar junge Katzen tollten herum, sonst wirkte die Gasse im mittleren Teil unbewohnt; bis zum Komplex der Ferrettis war hinter keinem Fenster ein Licht zu sehen.

Stefan begleitete ihn zu seinem Haus, dem letzten und größten an der Gasse, obwohl er keine Taschenlampe dabei hatte, und es etwas waghalsig war, den steilen, von Büschen zugewachsenen Pfad am Ortsende, zur Straße hinunterzusteigen, vorbei zuerst an seinem stinkenden Hühnerstall und dem Käfig, wo den ganzen Tag ein Hund bellte; er bereute es, nicht den Umweg auf der Straße unterhalb des Dorfes gegangen zu sein. Der Hund bellte noch, als er sich bereits am Brunnen erfrischte.

Direkt vor San Francesco in Arezzo hatte sich ein hagerer junger Mann bis auf die hellblaue Unterhose ausgezogen, er wusch sich mit dem Wasser aus dem Brunnen. Sein geöffneter Rucksack (mit dem englischen Wappen drauf) lehnte an der Kirchenmauer. Drinnen sah Stefan im Vorbeigehen eine alte Frau in einem der Beichtstühle ohne Vorhang knien. Mit dem einen Fuß, der aus der Sandale geschlüpft war, wetzte sie aufgeregt die andere Wade.

Bald würden die Geschäfte öffnen. In der Via Venezia verstellte ein ungefähr 14jähriger Junge den Gehsteig, indem er aus der Motorradhandlung knallrot lackierte Geländemaschinen herausschob. Stollenreifen, hochgezogene vordere Kotschützer. Sieben oder acht hatte er schon aufgestellt.

An diesem Tag entdeckte er das Caffè Costantini wieder, in dessen hinterem Teil Marmortische standen. Es befand sich nahe bei San Francesco; ein paarmal schon war er am unscheinbaren Eingang, vier Stufen hoch (ohne ein Schild), vorbeigegangen, der eher wie der zu einem alten Postamt aussah. Dort war er gesessen, letztes Jahr zu Ostern, nachdem er in der Früh mit dem Zug angekommen und erst einmal den Corso hinaufspaziert war. Zwischen Florenz und Arezzo hatte er sich auf einen Kaffee in der Bahnhofsrestauration gefreut, anderthalb Stunden hatte er Zeit gehabt bis zum Zug nach Rassina, wo Seiffert ihn abholen würde. Mit ihm waren, wie im Jahr zuvor, Scharen anderer Österreicher aus dem Zug gestiegen, die die meisten Tische und Stühle im kleinen Lokal besetzten, und so drehte er um und spazierte in die Stadt hinauf. Die Geschäfte und Bars hatten noch geschlossen gehabt, eine kühle Brise wehte, mehr zufällig entdeckte er dann auf halber Höhe zum Dom hinauf die Bar Costantini. Die halbe Stunde, bis sie öffnete, verbrachte er in dem Park hinter dem Dom, dem höchsten Punkt des Aretinischen Hügels, setzte sich auf die Umgrenzungsmauer im Osten, schaute ins Land hinaus, das Casentino, über dessen flacher Hügelkette am Horizont die blasse Sonne zu sehen war. Nur eine alte Frau, die Eibenzapfen in einen Plastiksack sammelte – *per bruciare*, rief sie ihm zu, zum Verbrennen –, und ein Straßenkehrer waren in dieser frühen Stunde im Park unterwegs gewesen.

Jetzt war lebhafter Betrieb in der großen Bar, die sehr elegant eingerichtet war. Die Kundschaft gut gekleidet, Anzug und Krawatte, beinah genierte er sich in Jeans und Flanellhemd. Man zahlte zuerst an der Kasse und wandte sich dann mit den Bons an die Dame, die hinter den Vitrinen mit den Mehlspeisen und Schinkenpanini stand, und an einen der vielbeschäftigten Männer an den Kaffeemaschinen; da er kein Meister im Vordrängen war, verging einige Zeit, bis er seine Wünsche äußern konnte und man ihm das Tablett zum Tisch brachte.

Das Petrarca-Haus war auch dieses Mal geschlossen. Er tröstete sich mit dem Hinweis von Heinrich, jenes Haus, welches die Aretiner so nannten, sei im 17. Jahrhundert erbaut und größtenteils im Zweiten Weltkrieg zerstört worden. Im kleinen Stadtmuseum beeindruckte ihn besonders Parri di Spinellos *Madonna della Misericordia*, eine beinahe erotische Mariendarstellung, wie ihm vorkam.

Die Grappa vor der Heimfahrt trank er meist auf der Terrasse des Café *Moderno*. Er hätte nicht erklären können, warum er hier immer wieder gerne saß. Die Aussicht auf den Platz, wo Leute kreuz und quer herumhasteten oder auf Motorrädern und Rollern herumlärmten, wo Lieferwagen herumfuhren, anhielten und die Motoren laufen ließen, war nicht die allerschönste. Scheußliche Kaufhausfronten, Allerweltläden, wie überall. Warum fühlte er sich zuhause in Salzburg fremder als hier? Es mußte etwas mit dem Einander-gelten-Lassen der Menschen zu tun haben. Drehte er sich auf dem Plastikstuhl herum, hatte er den Eingang zum Treppenhaus neben dem Café vor sich. Da waren Messingschildchen angebracht, hauptsächlich für Praxen: *Dott. Psichico. Hipnose. Terapia.*

Auf dem Weg zum Autoabstellplatz schaute er in den Bahnhof hinein. In der großen Auslage des Zeitungsladens waren immer Bücher ausgestellt, Taschenbücher der Verlage Einaudi, Adelphi, Mondadori. Einige hatte er schon gekauft. Wenn er sie zuvor auf deutsch gelesen hatte, ging das Lesen ganz gut; am besten gelang es ihm mit Vittorinis *Conversazione in Sicilia.* Auf dem Bahnhofvorplatz stieß er mit einem jungen Mädchen zusammen, welches vor ihm ihr Fahrrad, das es schob, plötzlich herumriß. Er blieb stehen und schaute ihr nach, überlegte, an wen sie ihn erinnerte.

In Ripa di Quarata blieb er auf der Heimfahrt wieder stehen, ließ sich in der unscheinbaren Gaststätte an der gehsteiglosen Durchfahrtsstraße zwei mitgebrachte Flaschen mit Rotwein füllen. Der Wein schmeckte nach Erde, hatte einen hohen Alkoholgehalt; am besten, du trinkst ihn abends, hatte Vittorio, der ihm den Tip gegeben hatte, geraten. Die Wirtin kannte ihn schon, es war das dritte Mal, daß er Wein kaufte. Ja, er hätte wenigstens einen Kaffee hier trinken sollen und eine Mehlspeise essen, aber er hatte kaum noch Geld. Sie füllte ihm zwar die Flaschen, bemerkte dann jedoch, sie seien hier keine Weinhandlung. Der Wein, den ihr Mann selber anbaue, sei eigentlich bloß für die Gäste des Lokals.

Das Glücksgefühl, wenn er unterhalb von Gello den geschotterten Güterweg, den früheren Eselkarrenweg, erreichte, beide Fenster herunterkurbelte, tief atmete, die Luft schmeckte, wenn er beim Brunnen anhielt, trank und sich das Gesicht wusch. Ein Alfa-Fahrer mit Kennzeichen aus Bologna, auf dem Dachträger ein altes Wagenrad und die Seitenteile eines alten Fuhrwerks, wollte vorbei, hupte wiederholt; also fuhr er seinen Wagen zum Abstellplatz beim Friedhof und ging mit dem Kanister zurück, durch die Staubwolke, die der Alfa mit durchdrehenden Rädern hinterließ. Als er wieder am Brunnen ankam, stand ein kleiner Lancia davor, ein junger Mann ließ eine Zweiliter-Flasche vollaufen. Es war Maurizio, der Sohn Vittorios. Er war beschwipst. Ganz unüblich für einen Toskaner dieser Gegend umarmte er Stefan. Er habe große Probleme: »Frauen!« Stefan fragte: »Mit Francesca?« Ach, es sei schrecklich! »Eine andere Frau?« Nein, *zwei* Frauen seien in ihn verliebt, er kenne sich nicht mehr aus. Francesca habe die Verlobung gelöst, sein Vater sei sehr böse. Er erinnerte sich an Francesca: Einmal, als er auf der Piazza von Gello auf der Hausbank saß, spazierte Maurizio mit Gianni im Kreis herum, Francesca im Abstand von zwei Metern immer hinter ihm her; dabei hatte sie Maurizios Schlüsselbund, der an einer langen Kette hing, im Kreis vor sich schwingen oder am Zeigefinger sich aufrollen lassen. Maurizio meinte, er überlege schon seit ein paar Monaten, in Deutschland eine Arbeit zu suchen, in der Vertretung einer italienischen Firma. So wie Eberhard, sein Freund, der Oboist, in Florenz bei der Auslieferung von *Scharlachberg* arbeite. Während Stefan zu seinem Wagen ging, fiel ihm das junge Mädchen ein, das er ein paar Tage vor der Fahrt nach Italien vom Gartencafé des Tomaselli aus gesehen hatte, als er, an der Balustrade sitzend, das Treiben auf dem Alten Markt beobachtet hatte. Sie hatte, zwölf oder dreizehn Jahre alt, auf dem Platz ihr Fahrrad vorbeigeschoben, hatte unabsichtlich in den Gastgarten hereingeblickt, ihn angeschaut. Für einen Moment hatte sie ihm scheu zugelächelt. Ein Gefühl heller Freude erfüllte ihn, er dachte, sie könnte eine Schülerin von ihm sein … Am liebsten hätte er ihr eine Stelle aus *Hyperions Jugend* nachgerufen: »Bewahre dich, junge Seele! Du gehörst einer anderen Welt. Befasse dich nicht zuviel mit dieser, bis deine Zeit kommt …«

Aus diesem Mädchen, hatte er gedacht, kann noch alles werden; anders als bei vielen Kindern und Jugendlichen war nicht das ganze künftige Leben bereits eingeschrieben in die Gesichtszüge. Manche Frauen, hatte er beobachtet, kleideten und frisierten ja ihre vierjährigen Töchter bereits so, daß sie aussahen wie kleine Erwachsene … Solch ein Wesen von der ersten Klasse an zu betreuen und zu ermuntern … In dem Baumhaus, das sein Onkel ihm in einem Feriensommer im Garten errichtet hatte, war er zum ersten Mal, mit fünfzehn Jahren, auf diesen Text von Hölderlin gestoßen, las ihn in einem uralten Reclam-Heftchen, lernte ihn und zwei weitere Abschnitte auswendig. Manchmal war er vor dem Violinunterricht, den seine Tante ihm gab, ins Baumhaus geflüchtet. Im Sommer konnte man in der dichtbelaubten Krone der Esche nicht sehen, ob er da droben saß oder nicht.

Beim Aushängen der Stalltür, deren Angeln sich im Mauerwerk gelockert hatten, zog er sich einen dicken Holzsplitter in den Daumen ein. Kein Hansaplast mehr im Werkzeugkasten! Immer wieder vergaß er, sich die Arbeitshandschuhe überzustreifen, bevor er Säge, Hammer, Sichel in die Hand nahm; auch griff er mit bloßen Händen nach den Brombeerranken. Den Pfad hinauf zur Straße ging er mit einem langen dünnen Stock, den er wie eine Fahne vor sich hielt, um all die Spinnweben und Fäden zwischen den Eichen zu lösen. Vor ein paar Tagen war er mit dem Gesicht in ein Spinnennetz geraten, eine riesige Spinne kroch ihm übers Gesicht; als er sie wegwischte, spürte er sie im Genick, so daß er das Hemd sofort auszog. Manchmal waren, wenn er vom Einkaufen zurückkehrte, schon wieder neue Netze gespannt.

Abends, während er draußen aß, hörte er vom Bachgrund herauf männliche Stimmen. Zweige knackten. Für Pilze war es noch zu früh. Er hätte Mario nichts von den Wildschweinen sagen sollen, der erzählte es im Dorf herum; zweimal schon waren Männer mit umgehängten Gewehren vorbeigekommen, hatten ihn gefragt, wo er die Wildschweine gesehen habe; er hatte geantwortet, er habe sie bloß gehört und in Richtung Bach gedeutet, damit sie nicht unterhalb des Olivenhains suchten, in dem verwilderten Getreideacker herumlärmten, wo er unter drei

Maronibäumen Kuhlen gesehen hatte. Mit dem beschaulichen Sitzen vor dem Haus wäre es dann vorbei. Mario meinte, bei den Wildschweinen hielten sich die Jäger nicht an die Jagdzeiten. Die Meute stürmte, unsichtbar für ihn, unterhalb der Wiese durchs Dickicht, dann die Böschung hinauf, sie schienen den Weg zur Straße zu suchen.

Später hörte er jemand den Pfad herunterkommen. Es war noch hell genug, um Salvatore und ein blondes Mädchen zu erkennen. Sie hätten Brombeeren gesucht, aber keine reifen gefunden. Er fragte, ob Stefan einverstanden sei, wenn er mit einem Freund die beiden obersten Terrassen ausholze. Das wäre gut für Mora, er nehme bloß junge Bäume und würde dabei auch das Gestrüpp roden. Stefan überlegte kurz, stellte sich vor, wie Heinrich, wenn dieser ihn demnächst besuchte, sich freuen würde, wenn er sah, daß hier gearbeitet wurde, und stimmte zu.

Wenn er sich ein Haus in der Gegend wünschen dürfte, dachte er, wäre ihm das kastellartige von Salvatore, hoch über Gello, vielleicht noch lieber als Mora. Es lag wie dieses auf einer breiten Terrasse, mitten im Olivenhain. Hinauffahren konnte man den steilen Geröllweg nur mit einem Jeep oder Landrover. Die Vorderfront, die man vom Dorf aus und auch vom Bona-Brunnen sah, zeigte genau nach Westen; unter dem Haus fielen Terrassen mit Olivenbäumen steil ab. Salvatore hatte mindestens eine Stunde länger Sonne als er in Mora. Jeden Monat habe er eine andere Freundin oben, hatte Mario erzählt, während sie im vorigen Sommer einmal hinaufspaziert waren; Salvatore war nicht daheim gewesen. Er treffe die Mädchen auf den Märkten, meistens seien es von zuhause ausgerissene, sie halfen ihm beim Fertigen des Modeschmucks, den er auf verschiedenen Märkten in der Toskana und in den Marken verkaufte. Manchmal besuchten die Carabinieri ihn, hatte Mario gesagt, fahndeten nach Drogen. Es heiße, er verkaufe unter dem Tisch Marihuana und auch Kokain. Hoch oberhalb des Hauses von Salvatore sah man vom Dorf aus zwei weitere kleine Häuser: Das eine sei seit Jahren verlassen, das andere bewohne ein langhaariger Deutscher, der sich bewege wie ein Junger, aber angeblich über siebzig Jahre alt war; man bekomme ihn nie zu Gesicht.

Auch das Anwesen der Bindis, noch etwas weiter außerhalb von Gello als der Neubau Marios, würde ihm gefallen, läge es nicht an der Straße. Das Haus wäre bald zu kaufen, hatte Mario erwähnt, die beiden Alten, Beata und Giovanni, seien über achtzig, lange würden sie es nicht mehr machen; zwei ihrer Söhne lebten in Deutschland und kümmerten sich um nichts. Francesco, der jüngste Sohn habe unten in Fibocchi ein Haus mit angeschlossener Autowerkstatt. Giovanni war im letzten Jahr mit seinem kleinen Caterpillar einmal die Zufahrt nach Mora heruntergefahren, hatte den Weg an einigen Stellen verbreitert, besonders in der Haarnadelkurve. Doch hatte Giovanni dabei auch einige der Terrassenmauern beschädigt, die nun zerfielen, und hangseitig, wo er die mit Ginster bewachsene Böschung um einen halben Meter erweitert hatte, kollerten jetzt besonders bei Gewittern große und kleine Steine auf den Weg. Fast immer wenn er nach San Giustino fuhr, sah er die beiden Alten mit Sense und Sichel um ihren Hof herum arbeiten, und immer war ihr kleiner Hund, ein schmutzigweißer Spitz, mit dabei. Bindi war in der Gemeinde auch zuständig für die Müllabfuhr und für das Roden entlang der Straße im Ortsbereich.

Immerhin war es Salvatore, der sich im letzten Sommer auf der Paßstraße um seinen heißgelaufenen Simca gekümmert hatte, als Stefan aus Talla zurückgekehrt war; Stefan hatte ihn gerade noch auf eine Ausweiche lenken können, hatte die Motorhaube geöffnet, um den Motor auskühlen zu lassen. Salvatore war mit seinem Jeep vorbeigekommen und hatte den Simca bis Gello abgeschleppt.

Der erste Zug von Arezzo nach Perugia fuhr um halbsechs. Er trödelte beim Frühstück und mußte dann schneller als erlaubt zum Bahnhof fahren. Um halb acht schon war er oben in der Altstadt Perugias. Den gewundenen Aufstieg, vorbei an den fürchterlichen Baustellen, eine neben und über der anderen, wo vielstöckig Betonhäuser hochgezogen wurden (Wohnhäuser? Parkhochhäuser?), wollte er rasch vergessen. Im Café Bartolo, in einer ruhigen Seitengasse, war das Blech mit den warmen Mehlspeisen noch voll, er konnte sich aussuchen, was er sich zum Kaffee schmecken lassen wollte. Ein korrekt gekleideter alter Herr trat ein, die *Repubblica* in der Hand, schien Stammgast zu sein. Hier alt zu werden, jeden Morgen den Kaffee im Bartolo zu trinken und die Zeitung zu lesen würde mir gefallen, dachte er. Der voluminöse Besitzer machte sich ein Glas Tee, trank ihn auf der Schwelle zum Hinterzimmer, mit dem Rücken zum Lokal. Als eine junge Frau mit Eimer und Besen erschien und anfing, den Kachelboden feucht mit einem Desinfektionsmittel zu wischen, zahlte er rasch und ging. Die Menschen in Perugia erschienen ihm freundlicher und fröhlicher als die in Arezzo. Vor einem kleinen Kiosk fragte er den jungen Zeitungsverkäufer nach dem Weg zur Rocca Paolina, wo die Etrusker-Ausstellung zu sehen war. Der Junge kam aus seinem litfaßsäulenartigen Bau heraus, erklärte ihm, wie er gehen müsse; es schien für ihn nichts Wichtigeres zu geben, als daß der Fremde sein Ziel rasch erreiche.

Die unglaubliche Vielzahl an Tafelbildern – meist süßliche Madonnen im Stile Peruginos – in der Galleria Nazionale dell' Umbria weckte bald seinen Widerwillen. Noch nie hatte er die Zweckentfremdung religiöser Kunst so tief empfunden. Plötzlich ein kleinerer, dunkler Raum. Noch ehe er ganz drin war und sich orientiert hatte, spürte er: Hier ist was Besonderes. Tatsächlich, Piero della Francescas *Madonna mit dem Kind*. Das Schönste: der Blick von der Aussichtsterrasse an der Piazza Italia über die Ziegeldächer hinweg, hinüber zu San Domenico; noch weiter hinweg, über sanft geschwungenes Hügelland. Oben auf dem Treppenabsatz, vor dem Eingang zur *Sala dei Notari* im Palazzo dei Priori, fragte er den Wächter, wie lange an der Kathedrale gegenüber noch renoviert werde. Bedächtig antwortete dieser, schaute ihm dabei in die Augen. Die seinen waren zuerst schwarz, dann, durch einen Wechsel des Lichteinfalls, glommen sie bernsteinfarben. Sein Blick war nicht fixierend; Stefan war, als öffne ihm der Mann völlig seine Seele; Trauer und Resignation von Jahrhunderten bewegten ihn plötzlich, als stünde er vor dem Letzten eines untergegangenen königlichen Geschlechts.

Auf dem Briefkasten, der am Haus der Fortunata angebracht war, klebte eine frische Verlautbarung. Er verstand die Amtssprache nicht so recht, vermutetete jedoch, es werde hier in Gello Biscardo die Post nicht mehr abgeholt. 10 000 Lire Strafe wurden angedroht – für das Einwerfen von Briefen? Niemand war zu sehen, den er hätte fragen können. Die meisten Frauen und Männer fuhren frühmorgens nach Arezzo oder Castiglion Fibocchi in die Arbeit, die Kinder wurden vom Schul- oder Kindergartenbus abgeholt. Er hatte den Weg also umsonst gemacht; Mario war nicht zuhause, und keiner der alten Männer ließ sich blicken. Er würde den Brief an Franz am Nachmittag in San Giustino aufgeben müssen. Obwohl er sich auf den Besuch von Franz freute, verstimmte es ihn jedesmal, wenn er an das Exposé für den Mozart-Film dachte: Außer einigen Notizen hatte er noch nichts geschrieben. Er bereute, zugesagt zu haben; er stellte sich vor, dies im Winter leichter schreiben zu können, mit all der Literatur über Mozart in der Universitätsbibliothek. Dann wieder sagte er sich, er könne es nicht machen, weil er im Grunde keine Ahnung von Musik habe. Franz stellte sich anscheinend vor, es genüge, die Filmsequenzen mit Musik zu unterlegen ... Auf der schrägen Piazza hockten die fünfzehn oder zwanzig Dorfkatzen, in hierarchischer Ordnung. Einer rötlichbraunen hatte Davide vor Monaten den Schwanz abgehackt, seither saß sie immer abseits von den anderen. Niemals würde eine der Katzen sich von ihm berühren lassen. Ob Bianca und Nero darunter waren? Wie gern hätte er die beiden wieder in Mora gehabt. Fortunata, Marios Schwester, hatte ihm im letzten Sommer die beiden Katzen förmlich aufgedrängt, als er von den vielen Mäusen berichtete. Zuerst hatte er sie nicht nehmen wollen, denn er würde sie nach ein paar Wochen doch wieder zurückbringen müssen. Die beiden waren noch klein und verspielt gewesen, die schwarze ein paar Wochen älter. Wie liebte er es, sie in der Dämmerung zu beobachten, wenn sie sich vor ihm auf der Wiese balgten, wenn sie im Gras Verstecken spielten oder ihm, wenn die Zeit der Fütterung nahte, abwechselnd um die Beine strichen. Nach ein paar Tagen schon waren sie heimisch in Mora und nicht mehr wegzudenken; die Mäuse allerdings ließen sich von ihnen nicht stören.

An einem Sonntag hatte er das Haus um vier Uhr früh verlassen, um an einer Autobusfahrt nach Assisi teilzunehmen. Der Bürgermeister von Castiglion Fibocchi, der Gemeinde, zu der auch Gello gehörte, hatte eingeladen – eine Wahl stand bevor. Mario und auch die Ferrettis hatten ihn aufgefordert mitzufahren, der Bus werde sicher nicht voll werden. Nach ein paar hundert Metern auf dem nächtlichen Weg ins Dorf merkte er erst, daß Nero ihm folgte. Einige Male schubste er ihn in die andere Richtung, aber er lief ihm nach bis Gello; die Zeit hätte nicht mehr gereicht, ihn zurückzutragen und einzusperren. Er hoffte, Nero am Abend im Dorf wieder zu finden. Der Bürgermeister, ein junger Mann von fünfunddreißig Jahren, lud am Ende noch zu einem Abendessen am Lago Trasimeno, und erst nach Mitternacht stiegen sie aus dem Bus, gerädert von der mehr als fünfzehnstündigen Fahrt, die sie überallhin, bloß nicht nach Assisi gebracht hatte. (Sie fuhren, nach einem Frühstück in einer Bar in San Sepolcro, über die Berge nach Urbino, besichtigten auf dem Weg nach Ancona eine, wie es hieß, berühmte Eishöhle, machten eine lange Mittagsrast in Foligno, nahe Assisi. Dann jedoch beobachtete er, daß die Straßenschilder die Entfernung von Rom immer kürzer anzeigten, Spoleto, Terni, immer weiter entfernten sie sich von Assisi, hielten gegen 17 Uhr fast zwei Stunden in Viterbo, wobei der Bürgermeister sich entschuldigte und sie für eine Stunde auf einem Parkplatz ohne Schatten zurückließ. Gegen 20 Uhr errreichten sie Castiglione am Lago Trasimeno, und die Abendstimmung am See entschädigte ihn für die endlose Herumfahrerei. Die Verlobte des Bürgermeisters, die Tochter von Rocca Bidone, der ein Busunternehmen in Castiglion Fibocchi betreibe, arbeite in dem Restaurant am See, hatte er die Leute im Bus sagen hören.)

Als er Mora erreicht hatte, war ihm Bianca schreiend entgegen gekommen. Sie drängte im Finstern gegen seine Beine, er fürchtete, sie zu zertreten. Auch als er sie aufhob und an die Brust drückte, schrie sie immer noch jämmerlich. Mit der Schnauze tauchte er sie in das Futter auf dem Teller – er hatte sogar eine Sardinendose geöffnet –, aber sie beachtete es nicht, wollte nur ihm nahe sein. Zum Umfallen müde setzte er sich mit ihr auf die Steinstufen, streichelte sie, redete ihr beruhigend zu, und langsam hörte ihr Leib auf zu zittern und zu zucken; ihm war klar, daß er sie diese Nacht ins Haus werde lassen müssen. Bisher hatte er die beiden in der Früh meistens auf einer Kiste im großen Stall liegen sehen, ineinandergeknäuelt schlafend.

Selbst hier in diesem abgeschiedenen Landstrich war der Luftraum manchmal erfüllt von Explosionen. (Die Explosion, das eigentliche Kennzeichen dieses Jahrhunderts?) Flugzeuge waren zu hören und hoch am Himmel zu sehen, manchmal fauchten Düsenjäger des Militärs im Tiefflug über die Hügel, von der Paßstraße herunter, Personenkraftwagen, Lastautos, Motorräder. Von Gello herüber verweht Motorsägen und Traktoren. Jeder beeinträchtigte jeden, also akzeptierte jeder diese Lärmplagen – die die meisten gar nicht als solche empfanden.

In einer Berliner Zeitung, die er auf der Bank aus rotem Kunstleder in der Bar von Loro Ciuffeno fand und mitnahm, las er von einem Ferienparadies in der Toskana. Ein ganzes altes Dorf bei Florenz sei umgebaut worden zu einer Appartementsiedlung, in die jedermann sich einkaufen könne. Tennisplätze, Schwimmbad, Reitpferde, Supermarkt. Ein automatisch schließendes, nur mit Magnetkarte zu öffnendes Tor werde für die Ruhe und Sicherheit der Bewohner bürgen.

Auf der Wiese, nahe der Treppe, versuchten Ameisen einen kleinen toten Heuhüpfer in die aufgeworfene Öffnung ihres Baus hineinzuzerren. Nachdem er eine Bremse, die ihn stach, erschlagen hatte, legte er sie aufs Loch. Die Ameisen umkrabbelten sie eifrig (rochen sie an ihr?), aber sie ließen sie liegen; erst als sie sich nicht mehr rührte, zogen und stießen sie die Bremse den unterirdischen Gang hinab, obwohl das Loch zu klein schien.

Mario war nicht zuhause und Stefan zu müde, um noch zum Neubau weiterzuwandern; er setzte sich auf die Bank an der Hausmauer auf der Piazza, auf der er im letzten Sommer zeitweise jeden Abend gesessen war. Oben auf dem Treppenabsatz, auf der Loggia des Zurzolo-Hauses, schüttelte die junge Frau, wie hieß sie bloß, ein Tischtuch aus. Loretta. Sie grüßte herunter, ob er auf Mario warte, ob er nicht einen Kaffee bei ihr trinken wolle, er solle doch heraufkommen. Er wußte nur, daß sie das schmale Haus oben auf dem Kirchplatz, das an die Außenseite der Kirche angebaut war, bewohnte, daß der zirka zwölfjährige Enzo, der Freund von Gianni, ihr Sohn war, und ihr Mann in Florenz im Gefängnis saß, weil er in der Bank, in der er angestellt war, Betrügereien verübt haben soll. Tommaso habe einen BMW besessen, sagte Mario, den hätten sie ihm weggenommen; man munkle, er habe einen hohe Summe im Casino verspielt, seine Frau lebe von einer Sozialunterstützung. Loretta bat ihn hinein in das schwüle Eßzimmer. Sie kümmere sich ein wenig ums Haus, sagte sie. Und um ihren Vater, der sei beim Pavarotti Kartenspielen. Die Mutter sei auf Kur in Abano Terme. Sie stellte den Espresso-Kocher auf den Gasherd. Er berichtete von seiner Arbeit in Mora, von Heinrich Seiffert. Immer wieder beugte er sich zurück und schaute zum Haus von Mario hinüber. »Tu sei professore?«, fragte sie.

Er sagte, ja, er sei Lehrer an einem Gymnasium, aber in Österreich heiße man deswegen nicht Professore. Er traute sich und fragte, wie es ihrem Mann gehe. Sie erschien ihm auf einmal sehr hübsch, als sie ihm die Zukkerschale hinstellte und ihre Schürze ablegte, sich die hochgesteckten brünetten Haare richtete, eine Spange zwischen den Zähnen. Tommaso sei noch bis zum ersten März nächsten Jahres *verreist*, sagte sie und schüttelte den Kopf, *porca miseria* …! Da kam Enzo hereingesprungen, grüßte mit einem flüchtigen »ciao«, hatte einen Tennisschläger aus Aluminium in der Hand, und Stefan verstand nicht, warum er loszeterte. Schließlich kapierte er. Enzo wollte einen Schläger haben wie Gianni, und Loretta rief immer wieder, zu teuer, sein Schläger sei gut genug, basta! Sie schaltete den Fernseher ein, drehte laut auf, und Enzo sprang fluchend die Treppe hinunter. Sie müsse jetzt gleich hinauf zu ihrem Haus, müsse zu kochen beginnen. Wenn er einmal kommen wolle zum Fernsehen, abends, er sei eingeladen, aber wahrscheinlich werde ihm wohl abends der Weg zu weit sein. Sie sei immer allein, mit Enzo werde es immer schwieriger.

Der Eingang zu dem kleinen Stall unter der Küche war verhangen mit dicken Spinnweben, mit einem Stecken entfernte er sie. Die Vormittagssonne erhellte den Raum, der einen Felsenboden hatte, er wirkte jetzt weniger unheimlich als am Nachmittag. An einem der niedrigen Deckenbalken sah er an einem Faden eine Fledermaus hängen. Sie blinzelte unentwegt. Der Faden, das waren, als er gebückt näher trat, die Beinchen. Nach einer Stunde schaute er noch einmal nach ihr: sie war immer noch da, blinzelte wie zuvor. War sie krank? Als er mit einem Ast hinfuhr, flatterte sie auf, zu einem Balken noch weiter hinten. Dort sah er nun eine schon verweste Fledermaus hängen – ein modernder Sack aus zähem Gespinst.

Rauchgeruch alarmierte ihn zu Mittag, während er die Treppe hinunterstieg, um im Gras neben der Zufahrt die Spaghetti abzuseihen. Um halb sechs Uhr früh hatte er auf einer gemähten Terrasse auf der Südseite einen Haufen von getrockneten Gräsern und Dornenzweigen verbrannt. Der Aschenhaufen, in den er reichlich Wasser geschüttet hatte, entzündete sich in der Mittagshitze aufs neue.

Immer wenn die Natter sich unter dem Küchenfenster sonnte oder er sie in den großen Stall schlängeln sah, wenn sie weniger scheu war als gewöhnlich, gab es am nächsten Tag ein Gewitter. Am Vormittag fuhr er nach San Giustino einkaufen. Er lernte es nicht, die richtige (frische!) Milch zu wählen. Es gab verschiedene Arten von Milchpackungen, meist handelte es sich um haltbare, also ungenießbare Milch. Für ihn sahen alle Packungen gleich aus; die Ladeninhaberin kam ihm jedesmal zu Hilfe. In der Bar traf er Maurizio, der verkatert wirkte, mit geröteten Augen, eingefallenen Wangen. Er roch nach Weinbrand. Jetzt müsse er unbedingt bald einmal zu ihnen zum Essen kommen, sagte er, sein Vater habe schon öfter davon gesprochen. Am besten, er fahre mit Mario, ihr Haus an der Peripherie von Arezzo sei nicht leicht zu finden. Ob er schon gehört habe: Daniela, seine Schwester, habe sich verlobt. Stefan fragte nach Antonella. Er sagte, ihr Vater besitze eine Fleischhauerei in Castelfranco und habe seinen eigenen Wein. Er werde sie wohl im Winter heiraten, sie seien auf der Suche nach einer geeigneten Wohnung.

Schon auf halber Distanz nach Gello zerplatzten auf der Heimfahrt die ersten schweren Tropfen auf der Windschutzscheibe. Schließlich regnete es so heftig, daß das Fahren ohne Sicht riskant wurde. Aber er hatte bereits die Abzweigung nach Gello hinter sich gelassen, und auf dieser Strecke war jetzt kein Gegenverkehr zu erwarten. Als er zum Parkplatz kam, schüttete es immer noch, er mußte das Ende des Unwetters im Auto sitzend abwarten. In Sturzbächen schoß das Wasser die steilen Fahrrinnen des Pfads hinunter. Auch im Wageninnern stand Wasser auf dem Boden. Durch die Rostlöcher in den Radkästen und in der Bodenplatte hatte es während der Fahrt hereingespritzt. Mit einem Mal hörte der Regen auf. Barfuß ging er mit dem Eingekauften den aufgeweichten Weg hinunter. Die lanzettförmigen Blätter der Olivenbäume glitzerten. Beim Haus angelangt sah er, daß er versehentlich Tür und Fenster offen gelassen hatte. Im Nordzimmer war der Boden überschwemmt – eine gute Gelegenheit, um ihn mit dem Wischfetzen zu reinigen. Auch in der Küche hatte es hereingeregnet. Die noch aufgespannte Mausefalle in der Ecke: Wie gelang es den Mäusen, die Käsestückchen aus dem kleinen Drahtring zu lösen?

Die Sonne schien wieder, er konnte draußen das Essen vorbereiten, kippte den Tisch, um das Wasser abrinnen zu lassen. Als er die Steinstufen hinaufstieg, erinnerte er sich, wie ihm beim Weggehen die Ameisen aufgefallen waren: Eine schmale, emsige Spur hatte sich von oben, vom Dach herunter, hinein in einen seitlichen Spalt der Treppe gezogen. Die Prozession verlief mitten über das Hausnummernschild neben der Türöffnung, die eingemauerte verwitterte Kachel.

Nachmittags unterbrach er das Streichen der ausgehängten neuen Fensterläden, die Ausdünstung des Lacks verursachte ihm Übelkeit und schließlich Kopfschmerzen. Er versuchte den Text auf der Dose zu entziffern und las das Wort Pentachlorphenol, wurde wütend, er hatte Mario gesagt, er wolle einen Lack *naturale*. Wie gerufen kam der gleich darauf den Pfad herunter, in kurzen Hosen, unterm Arm Blue Jeans, die er überzog, bevor er weiterging. Es war schon wieder sehr heiß. Er zeigte Mario die Bezeichnung PCP auf der Lackdose und sagte, er schenke ihm die drei Dosen, auf Mora wolle er das Zeug nicht haben. Mario beteuerte, im Geschäft in Montevarchi einen Lack wie von ihm gewünscht verlangt zu haben, er habe sich darauf verlassen. Vielleicht meinten die, für einen Außenanstrich sei es nicht so gefährlich. Als Mario gehen wollte, sah er sich suchend um. Stefan fragte ihn, ob er einen Stock wolle. Er wußte, daß Mario den sonnigen Weg hinter dem Haus, der in den Wald führte, nicht mochte; Mario bejahte, und Stefan stieg die Treppe hinauf. Der Stock lehnte jedoch nicht an seinem Platz hinter der Tür, er mußte ihn am Tag zuvor am Parkplatz oben vergessen haben, als er mit dem Wasserkanister herunterkam. Mario sagte, er wolle den Weg unterhalb der Straße gehen, der schräg durch den Wald hinunterführte auf die Straße nach Castiglion Fibocchi. »Wenn der Simca einmal nicht zu gebrauchen ist«, sagte er, »kannst du zu Fuß nach Fibocchi einkaufen gehen, ungefähr eine Stunde.« Als er schon um die Hausecke gebogen war, kam er noch einmal: Ob Stefan das alte, halb verfallene Herrenhaus kenne, eine dreiviertel Stunde von hier; ein Weg oberhalb der Straße, meist parallel dazu, führe dahin; man komme von dort in einen noch größeren Wald, der sich hinaufziehe bis zu der kahlen Kuppe der östlichen Hügelkette. Ob er ihn bis zu dem Haus begleiten wolle, es sei sehenswert, habe einen großen Saal mit Fenstern wie in manchen Kirchen. Stefan stimmte zu; inzwischen, dachte er, können die Böden im Haus auftrocknen. Auf der Straße oben angelangt, ging Mario mit dem Stock, der tatsächlich an der Eiche neben dem Weg gelehnt hatte, voraus, schräg durch die schon wieder völlig trockenen Büsche hinauf zur *strada vecchia*, auf der früher die Leute mit dem Fuhrwerk oder zu Fuß von Gello nach Castiglion Fibocchi und zurück gelangt waren. Die Straße war zu einem Pfad zugewachsen, aber an einigen Stellen sah man, daß sie erstaunlich gut erhalten und an den talseitigen Rändern mit genau gefügten Steinen befestigt war.

Auch die Villa mit einer von Zypressen gesäumten Zufahrt war samt den Nebengebäuden mit Sträuchern und jungen Eichen zugewachsen; das Gras stand ihnen, als sie sich der breiten Treppe näherten, bis zur Brust. Mario bahnte sich mit dem Stock einen Weg, Stefan stieg auf die von ihm niedergetretenen dicken Dornenzweige. Der dritte Treppenquader hatte sich gewölbt, in der Wölbung sah er ein Stück Schlangenhaut. Erst als er den zweiten Fuß nachziehen wollte, bemerkte er, es war eine Schlange, eine mächtige schwarze Viper in Angriffsstellung. Erschrocken stolperte er zurück, ein Dornenzweig kratzte ihm übers Gesicht, er packte einen Ziegelstein und schleuderte ihn gegen die Treppe. Mario mußte ihn überreden, ihm ins Haus zu folgen. Die Böden der Räume waren mit Ziegelschutt bedeckt. Der Saal mit dem großen Kamin hatte kein Dach mehr, aber der Blick aus den gotischen Fensterbögen, in denen noch einzelne farbige Glasteile steckten, war hinreißend. Man sah ins Arnotal hinunter, rechts auf einer Anhöhe Laterina, links die Ebene vor Arezzo, und durch den Dunst war die Stadt auf dem Hügel zu erkennen. Allein dieses Blicks wegen, dachte er, müßte man dieses Haus wieder bewohnbar machen. In einem Winkel des Saals sah er einen verwitterten Spucknapf aus Porzellan. Er fragte Mario, wem das Anwesen jetzt wohl gehöre. Er erwiderte, ohne Hausgesinde, die Tag für Tag das Gelände ums Haus mähten, rodeten, bewirtschafteten, wäre ein Leben hier nicht möglich.

Während er im großen Zimmer die Läden öffnete und fixierte, entdeckte er an der Wand darunter einen Schmetterling, ein Nachtpfauenauge. Mit den Beinchen hielt er eine Larve umklammert, als sei es eine Beute. Erst nach einer Weile begriff Stefan (er hatte sich hingehockt), es war die Hülle, der er entschlüpft war. An einem Nagel neben der von Mario im Winter aufgebrochenen Maueröffnung hing der alte Rock, wohl noch von einem der Knechte, die auf diesem Hof vor dreißig Jahren gehaust hatten; er konnte sich nicht entschließen, den Rock wegzuwerfen oder wenigstens in einem der Ställe aufzuhängen. Der Raum, das größte Zimmer des Hauses, war noch ohne Tür; den früheren Zugang von der Gemeinschaftsküche aus hatte Mario mit Ziegeln zugemauert. Gegen elf Uhr beugte er sich aus dem Küchenfenster, um zwei verdorbene Tomaten ins Gestrüpp zu werfen. Eine lange dunkelgrüne Schlange flitzte zwischen der Hausmauer und dem Pfad, der zum Backofen führte, entlang, verbarg sich weiter hinten, in dem Unkraut, das an der Hausmauer entlang wuchs. Er war wütend, weil sie ihn erschreckt hatte, schmiß eine Kachel, die als Untersetzer diente, nach ihr und verfehlte sie knapp; sie floh ins Stallgewölbe, in dessen dunklem hinteren Teil altes Gerümpel, Korbflaschen aller Größen, schadhafte Ziegel lagen und wo er einen Küchentisch gefunden hatte, auf dem er jetzt meist vor dem Haus Gemüse schälte und schnitt. Eine halbe Stunde später beugte er sich langsam aus dem Küchenfenster; da sah er, wie sich die dicke, einen knappen Meter lange Natter, die er noch nie gesehen hatte, mit der Hälfte ihrer Länge aus einem Spalt des Gemäuers schräg unterhalb des Küchenfensters hängen ließ und sonnte. Als er sich weiter hinausbeugte, zog sie sich zurück in das Loch. Insgeheim bat er sie nun um Verzeihung wegen des Attentats und wollte ihr Wohnrecht im Gemäuer nicht mehr in Frage stellen.

Im Radio hörte er den Lokalsender von San Giovanni Valdarno. Dieses Programm war als einziges rauschfrei zu empfangen. Es erinnerte ihn jedesmal an das Kraftwerk bei San Giovanni, an den kolossalen Betonschlot und den Rauchpilz, den der Wind über die Chiantiberge trieb, wie er es in der Haarnadelkurve auf der Fahrt von Gello nach San Giustino hinunter immer beobachtete; hier fuhr man im Schrittempo und hatte einen freien Blick ins Valdarno und ins Chianti. *Greve, Gaiole, Radda, Castellina*, diese Namen bloß gedruckt zu sehen weckte seine Freude. Radio San Giovanni: aggressive Werbung der amerikanischen Art, dazwischen krampfhaft-optimistisch klingende Verlautbarungen sowie das übliche Schlagergeplärre. In San Giovanni gab es Schwimmbäder, ein Stadion, Supermärkte. Er probierte Italia 3. Ein politischer Kommentar zu der Meldung über die Wahl des neuen Staatspräsidenten. Die mehrmaligen pathetischen Ausrufe des Sprechers *la nostra grande nazione* waren schwer auszuhalten. Gutes Programm, Musik, Lesungen klassischer Literatur, Hörspiele; leider auch viel Geschwätz. Vor einer Sendung mit Clara Haskil kehrte ein Experte sein Wissen hervor (Stefan wollte endlich die Schumann-Lieder hören!), kam zu keinem Ende. Die Redakteurin versuchte seine Suada zu bremsen (er bewunderte, wie rasend schnell der seine Sätze sprach), aber auch sie zeigte vor, was sie gelernt hatte, beide lebten ihren Geltungsdrang in aller Öffentlichkeit schamlos aus. Im heimischen Fernsehen gab es Nachrichtensprecherinnen, die beim Reden – während sie ihren für den Zuschauer unsichtbaren Text ablasen – mit dem Kopf hin und her wackelten, ihn drehten und kippten und damit um Aufmerksamkeit buhlten.

Auf dem Weg nach Gello sah er wieder einmal an zwei Stellen schwarze Kunststoffmüllsäcke am bestaubten Wegrand liegen. Manche einheimische Autofahrer, die hier durchfuhren, entsorgten ihren Müll, indem sie ihn, ohne anzuhalten, die Tür öffnend, hinauswarfen, wie er einmal beobachtet hatte.

Nachdem er im Hause Marios telefoniert hatte, nannte er die Zahl, die der Zähler anzeigte. Gianni kontrolliert die *punti*, suchte die Tabelle, rechnete, rief: Cinquemilatrecento. Mario kam mit zwei Säcken von seinem Gemüsegarten, steckte ihm ein paar Zucchini und Paprika zu. Wieder einmal hatte er die Taschenlampe zuhause liegen lassen. Die Nacht war mondlos; als er den Pfad hinunter ging, erschreckte ihn das drohende Grunzen einer Wildsau. Wahrscheinlich eine Muttersau, die sich in einer Mulde neben einem Baum (sie liebten die Kastanien) im Laubwerk eine Grube gegraben hatte, dachte er.

Er überlegte, demnächst für einen Tag nach Urbino zu fahren; neulich hatte er sich am Bahnhof den Fahrplan notiert: Wenn er in Arezzo den Bus um fünf Uhr vierzig nahm, war er um neun dort und hatte Zeit bis halb drei.

Spät abends näherten sich wieder Männer aus Gello. Nur gut, daß er sie schon hörte, als sie noch oben auf der Straße gingen und sich unterhielten. Er stand auf und zog sich an. Außer Mario waren es nur drei Jugendliche. Er zündete die Kerze in der Laterne an, stellte sie auf den Treppenabsatz. Sie redeten über ihre Nachprüfungen im September. Nur Sergio hatte ein vorzügliches Zeugnis erhalten, es war ihm auch anzumerken. Angelo fuhr mit seinen Eltern die Woche darauf ans Meer. *Rimini ... molto cemento,* meinte Sergio.

Hier oben auf der Straße war die Sonne noch zu sehen; in Mora war sie schon unsichtbar, und auch hier würde der Hügel sie in fünf Minuten verdecken. Er dachte an Nardo, näherte sich der Kurve, hinter der die Auffahrt zu seinem Hof hinaufführte, da hörte er den Fiat im ersten Gang den steilen gerölligen Weg herunterstottern. Auf der Hausbank bei ihnen oben würde die Sonne noch eine halbe Stunde länger scheinen. Wenn sie nach Fibocchi fahren, dachte er, würde er ihnen nicht begegnen. Sie kamen ihm jedoch entgegen, hielten an. »Wie geht's in Mora?« Sie wollten zu ihrer Tochter in Pulicciano, vorher müßten sie nach San Giustino, Giovanna wolle einen Stoff kaufen. Sie drehte sich so gut es ging herum, kramte am Rücksitz in einem Plastiksack, und Nardo reichte ihm eine Handvoll kleine Zucchini mit gelben Blüten heraus, die seien frisch geerntet. Giovanna fragte, ob sie ihm schon einmal gesagt habe, wie sie sie zubereite, wenn sie wenig Zeit habe: In siedendem Wasser kochen und dann mit Salz und Öl essen. Er solle wieder einmal vorbeischauen, sagte Nardo, sie seien ja Nachbarn. Er erwiderte, er würde sich freuen, wenn sie einmal herunterkämen nach Mora, aber er wisse nicht, was er ihnen anbieten dürfe; seinen Wein würden sie ja nicht trinken. Nardo lachte, sagte, sie kämen gern einmal, Giovanna habe das Haus noch nie gesehen, und damit stieß er den Schalthebel nach vor und winkte.

Was war bloß mit Franco geschehen? Im vorigen Sommer nach dem *esame di maturità* war er ein aufgeweckter fröhlicher Bursche gewesen, ein hagerer Typ mit Schafsnase. Jetzt hatte er vom Militärdienst, den er in Piacenza ableisten mußte, wieder ein paar freie Tage. Er hatte mindestens zehn Kilo zugenommen, wirkte schwerfällig, kurz geschorene Haare, das Gesicht kantig; Stefan genierte sich, weil er ihn, als dieser die Tür öffnete, nicht gleich erkannt hatte. Franco entschuldigte sich, er habe zu tun, stieg die Treppe hinauf. Für acht Uhr war das Essen angesetzt, aber in der großen Wohnküche sah er nur Benita; auf dem Eßtisch in der Mitte des Raumes schnitt sie den ausgewalkten Nudelteig in Streifen, schien schlecht gelaunt. Er bewunderte wieder den riesigen alten Kamin, in dem man ein Kalb hätte rösten können. Dann erst bemerkte er im Hintergrund die schlafende Großmutter. Als er Benita fragte, ob es Franco beim Militär gefalle, sagte an ihrer Stelle die gerade eintretende Mutter, die ein Büschel mit Kräutern in der Hand hielt, Franco gefalle es sehr gut, er werde anschließend eine Offiziersausbildung machen und sich dann weiter verpflichten lassen, allerdings nach Arezzo oder Florenz. Sie steckte die Kräuter in ein Wasserglas und bat ihn nach oben, die Schwester von Antonio sei zu Besuch. Ob er schon wisse, daß Benita noch in diesem Jahr heiraten werde? In dem großen Raum, in den man am Treppenende durch einen Torbogen gelangte, war es wie immer düster, die Fensterläden geschlossen, eine schwache kegelförmige Deckenlampe beleuchtete die Fläche des langen Eßtisches. Auf einem Gestell über der Kommode stand ein großer Fernsehapparat. Die Signora wirkte herrisch; dagegen schloß er Cristinas Schwager, den sie Didi nannten, sofort ins Herz. *Guten Abend, danke, beehren Sie uns wieder,* rief Didi; später sagte er, daß er ein Video des Films *Die Trapp-Familie* besitze. Er setzte sich neben ihn, Didi verlangte ein Glas für Stefan und goß ihm Cognac ein, fragte ihn, woher er komme, was er tue; er habe schon gehört, daß sich in Mora unten viel verändert habe. Als er rief: »Besuch uns doch einmal, wenn du nach Arezzo fährst«, schaute seine Frau mitten im Satz kurz her. Er sei ein Verehrer von Niki Lauda, sagte Didi, seit Jahren nehme er jedes Rennen auf Video auf, es tue ihm leid, daß Lauda nicht mehr für Ferrari fahre. An den Wänden des Zimmers hingen schwarz gerahmte, teilweise halb verblichene große Fotografien von streng blikkenden alten Männern. Didi fragte, ob Stefan sich das Rennen in Monza ansehen werde, da rief Cristina von unten: *a tavola, a tavola!*

Er saß neben der *nonna* Rosina, deren Lehnstuhl man an den Tisch geschoben hatte. Sie war jetzt hellwach und erzählte Stefan zum dritten Mal in diesem Sommer, daß sie vierundvierzig Jahre lang Lehrerin in Levane gewesen sei. In Levane sei sie geboren (das Wort Levane sprach sie aus, als spreche sie vom Himmel), sie besitze dort ein schönes Haus, das leider seit zwanzig Jahren leerstehe. Nach der Pensionierung sei sie zu ihrer Tochter Cristina nach

Gello Biscardo gezogen, das habe sie später bereut. Sie denke immer an ihr Haus in Levane, um das sich keiner kümmere. Ob er die Goldmedaille sehen wolle, die sie vom Ministerium erhalten habe, als sie aus dem Schuldienst ausgeschieden war? Der Schwarzweiß-Fernseher war eingeschaltet, es wurde gerade für eine Lotterie zugunsten der Hungernden in Äthiopien geworben, Kontonummern für die Spenden wurden eingeblendet. Franco wechselte das Programm: Jetzt sah man ein Radrennen bei Regen; er wechselte noch einmal, eine Unwetterkatastrophe im Veltlin, Männer in schwarzem Ölzeug mit Schaufeln. Zu essen gab es Bandnudeln mit Sugo, dann *maiale*, Fleisch vom Wildschwein mit spinatartigem Gemüse und Bratkartoffeln. Das Weißbrot bei den Ferrettis war immer zwei Tage alt, da das alte erst gegessen sein mußte, ehe das neue auf den Tisch kam. Antonio schnitt dicke Scheiben ab. Er sagte zu Didi, der rechts von ihm saß, Brot gehöre für ihn zu jeder Mahlzeit. Benita schnitt der *nonna* das Fleisch, Franco führte seine neue Kamera vor, filmte die Tischgesellschaft. Stefan sagte, er habe am Vortag frühmorgens Hundegekläff und die Rufe der Jäger in den Wäldern gehört, worauf ihm Antonio erklärte, einige Wochen vor Jagdbeginn sei *Probe*, da gingen die Jäger ohne Waffen, nur mit den Hunden, um diese an die Pirsch zu gewöhnen. Zum Abschluß wurde Vino Santo kredenzt und eine Art Englischer Kuchen. Er trank keinen Espresso, entschuldigte sich, er würde sonst die ganze Nacht wachliegen. Franco zeigte ihm noch sein spartanisch eingerichtetes Zimmer: An der Wand über dem Bett ein großer Säbel, eine Gitarre, ein kleiner Tisch, darüber ein Bücherregal mit einigen Taschenbüchern. Er neigte den Kopf, um die Titel zu lesen: Moravia, D'Annunzio, die anderen Autoren waren ihm unbekannt. Er fragte ihn, ob er Vasco Pratolini kenne; den Namen hatte Franco anscheinend noch nie gehört. An der Tür des Kleiderschranks hing auf einem Bügel seine graublaue Uniform mit goldfarbenen Knöpfen. Er setzte die Kappe auf, grinste; wieder war er ihm fremd, und Stefan erinnerte sich, wie er als Kind immer Angst vor Uniformierten gehabt hatte. Beim Abschied fragte ihn Didi, ob er schon am Pratomagno gewesen sei. Man könne bis in Gipfelnähe mit dem Auto fahren. Und wiederholte seine Einladung, ihr Haus liege nahe der Einfahrt nach Arezzo ... Seine Frau unterbrach ihn, schob ihn an Stefan vorbei zur Tür hinaus: *vai, vai!* Antonio begleitete Stefan auf die Gasse und fragte, ob er am nächsten Tag helfen könne, er bekomme eine Ladung Brennholz, große Scheite, es müsse in den Schuppen geschlichtet werden; Franco reise in der Früh ab.

Auf dem Heimweg war es hell, beinahe Vollmond; nur wenn eine Wolke den Mond verdeckte, sah er den Weg nicht mehr. Durch das schmiedeeiserne Tor des Friedhofs sah er im Vorübergehen einige Lichter auf den Grabstellen flackern. Vereinzelt waren Sterne zu sehen. Er konnte das Zeichen des Schwans identifizieren. In der Kurve vor dem Aufstieg zum Haus der Marinis stand der Simca, er nahm einen Plastiksack mit einigen Packungen Spaghetti aus dem Kofferraum. Nach der nächsten Biegung, unterhalb der Terrassen Marinis, stank es entsetzlich, ein Aas, dachte er, vielleicht ein überfahrenes Tier.

Der Ursprung seiner Italiensehnsucht fiel ihm ein: Mit

zehn oder elf Jahren hatte er die Heimstunden der Katholischen Jugend besucht, in denen der Leiter meistens aus spannenden Abenteurromanen vorlas. Im Sommer fuhr die Gruppe jedes Jahr in ein Zeltlager nach Italien. Obwohl der Kostenbeitrag wahrscheinlich gering war, war bei ihm zuhause dafür kein Geld übrig gewesen. Er konnte bloß hinterher die Fotoalben ansehen und die Bilder im Schaukasten vor der Gnigler Kirche, Aufnahmen von der Feldküche, vom Strandgetümmel, aber auch von Ausflügen in alte Städte wie Trient, Aquilea, Vicenza, von Städtchen auf Bergkuppen und von schönen alten Plätzen.

Zurück von einem Badetag am Trasimeno-See, als er mit den Einkäufen zum Haus hinunter ging, bemerkte er, daß Salvatore oder ein von ihm Beauftragter Bäume gefällt hatte, nicht nur junge Bäume, sondern zwei alte Kastanien unterhalb der Straße sowie einige Eichen. Auf dem Weg waren die Schleifspuren des Abtransports unübersehbar. Gerodet hatten sie, soweit er sah, überhaupt nirgends; der Halunke hatte bloß Bäume fällen wollen, mit der Motorsäge ging das rasch. Vielleicht hat er beobachtet, daß ich weggefahren bin, dachte Stefan, jedenfalls hat er in mir einen Dummen gefunden, und niemand kann ihn dafür belangen. Nun mußte er auch noch die Spuren dieses Vandalismus beseitigen, damit Heinrich bei einem allfälligen Besuch davon nichts merkte. Als er die Bettwäsche von der Leine nahm und ins Haus trug, kamen Mario und Gianni, sie trugen ein angerostetes schwarzes Bettgestell. Er habe es in seinem Keller gefunden, sagte Mario. »Du brauchst es nur zu streichen.« Sie setzten sich auf die Treppe, Mario bat um ein Glas Wasser, richtete Grüße aus von den Ferrettis, sie wollten ihn für Sonntagabend zum Essen einladen. Stefan begleitete die beiden bis zur Straße, im Auto lag ohnehin noch eine in Plastik eingeschweißte Sechserpackung mit Mineralwasser. Als er ihnen zeigte, was Salvatore angerichtet hatte, zuckte Mario mit den Schultern. Auf halber Höhe des

Weges, an der Spitzkehre, fragte Stefan nach dem alten Weg, den Mario schon einige Male erwähnt hatte. Ob er tatsächlich hier abzweige? Mario deutete auf die zugewachsenen Büsche und Bäumchen, dort sei er früher gewesen, einfach geradeaus weiter, lange Zeit parallel zu der oberen Straße, die viel später angelegt worden sei. Leicht ansteigend verlaufe der Weg, zum Schluß, unterhalb der Terrassen vom Marini steil hinauf zur Straße. Auf diesem gut befestigten Weg sei man mit dem Eselfuhrwerk nach Gello Biscardo gefahren. Die heutige Straße von Gello nach Fibocchi habe früher bloß bis zur Auffahrt der Marinis geführt; von der Kurve an, in der jetzt die Auffahrt abzweige, sei die Straße bloß noch ein Eselspfad gewesen, und sie sei ja, wie er wisse, von dort an in einem fürchterlichen Zustand; jedes Gewitter werde die teilweise spitzen Steine noch stärker auswaschen. Stefan solle den alten Weg einmal mit Säge und Machete gehen, ins Dorf würde er fast einen Kilometer sparen; das Auto könnte er dann in der breiten Kurve stehenlassen, wo auch Nardo seinen Wagen abstelle.

Nachts weckte ihn ein Geräusch; etwas schien von der Decke gefallen zu sein, vielleicht ein morscher kleiner Zementbrocken vom Dach, wo die Ziegel um den Kamin herum zugemauert waren. Als er aufstand, merkte er, daß es dicke Wassertropfen waren, die im Sekundentakt auf den Küchenboden klatschten. Heftiges Donnern brachte das Haus zum Erzittern. Auch im Vorzimmer regnete es herein. Er holte die drei Eimer und suchte mit der Taschenlampe die nassen Stellen auf den Böden. Als er gegen Mitternacht wieder aufwachte, konnte er lange nicht einschlafen. Das beruhigende Regenprasseln auf dem Dach war nicht mehr zu hören. Warum wirkte nachts alles so bedrohlich? Immer noch erschreckten ihn, wenn er am Einschlafen war oder mitten in der Nacht wach wurde, Geräusche, auf die er untertags gar nicht achtete. Als wäre ihm die Welt bloß im Licht der Sonne freundlich gesonnen, als kündigten ihm die Büsche und Bäume und die großen und kleinen Tiere die Freundschaft auf, sobald es dunkel wurde. Das Urvertrauen der ersten Nächte in Mora, damals sogar ohne eine Haustür, ohne Fenster, war ihm in diesem zweiten Sommer nicht mehr gegeben.

Zwischen Nardos Parkplatz und dem Friedhof war in einer Kurve auf einer Länge von fünf Metern die Hälfte der Straße abgerutscht, man kam mit dem Auto gerade noch durch. Er schaute hinunter in die Grabenrutsche und stellte sich vor, er wäre nachts hier mit dem Auto unterwegs gewesen. Vor dem Friedhof hatte die Straße sich in einen länglichen See verwandelt; ohne nasse Füße kam er nicht vorbei. Marios Auto stand weder am Dorfeingang noch bei seinem Neubau. Als er zurück auf der Piazza war, grüßte ihn Fortunata, Marios Schwester, vom Fenster ihres Hauses herunter. Er rief hinauf, er habe bloß kurz telefonieren wollen. Sie lud ihn ein, hinaufzukommen, telefonieren könne er auch bei ihnen. Im dunklen Wohnzimmer waren alle Fensterläden geschlossen. Ferruccio war auf dem Diwan gelegen, er setzte sich auf, fuhr sich mit beiden Händen durchs Haar. Das Telefon stand auf einer Kommode, daneben Silberpokale. An der Wand Fotos vom jungen Ferruccio im Renndreß mit Startnummer, auf einem Rennrad sitzend oder danebenstehend. Stefan berichtete von der desolaten Straße; es beeindruckte sie nicht, Ferrucio meinte lediglich, es werde wieder ewig dauern, bis die Gemeinde die Straße herrichte. Die würden kein Warnschild aufstellen. Monika meldete sich nicht am Telefon, vielleicht war sie verreist. Es fröstelte ihn plötzlich in dem Zimmer. Fortunata fragte:

»Du trinkst doch einen Espresso mit uns?« Sie redeten über Mario: ob er wieder heiraten werde, für die Kinder wäre es besser. Seine »Karenz« dauere nur noch bis zum Herbst, so lange sei er noch freigestellt, um sich um die Kinder zu kümmern, dann müsse er wieder in seinem Beruf als Maurer arbeiten. Wahrscheinlich werde er wie viele andere beim Bau der neuen Eisenbahn-Schnellstrecke Mailand – Rom eingesetzt, auf dem Abschnitt von Florenz bis Arezzo. Brücken über Täler hinweg müßten errichtet werden. Fortunata sagte, Davide sei nach Francesca geraten, Gianni eher nach Mario. Er dachte: Davide ist ein hübscher Junge, aber Gianni hat gar nichts Anziehendes, er pubertiert gerade.

Auf dem Rückweg, als er beim Friedhof an der Mauer entlang ging, um nicht in die knöchelhohen Lacken steigen zu müssen, geriet er in eine depressive Stimmung; es wurde ihm plötzlich klar, daß er immer noch an Monika hing. Bei ihrem letzten Telefongespräch hatte sie ihn gefragt, ob er zu Weihnachten mit ihr nach Teneriffa reisen würde, auf freundschaftlicher Basis.

Am Straßenrand, vor der Abzweigung der steilen Zufahrt hinauf zu Marini, lag ein von einem Auto überfahrener Fuchs; er beförderte den Kadaver mit einem Stock die Böschung hinunter. Er entschloß sich, die Nachbarn zu besuchen; Nardo würde auf seinen Feldern arbeiten, aber Giovanna und Augusto würden daheim sein; er wünschte sich, bei klarem Wetter einmal länger auf der Hausbank sitzen zu können und den Blick auf dem Valdarno ruhen zu lassen, auf den Feldern und Fluren, den Gehöften und den kleinen Dörfern und Städtchen auf den Hügelkuppen.

Giovanna, mit Lockenwicklern, streute gerade ihren Hühnern Maiskörner. Sie genierte sich offensichtlich, deutete ihm: »*venga, venga!*«, und trat ins Haus. Augusto habe sich hingelegt, es gehe ihm zur Zeit nicht gut, Nardo sei nach Arezzo gefahren um einen Wasserhahn, er müßte schon lange da sein. Als sie aus dem Nebenzimmer, in das zwei Stufen führten, wieder erschien, hatte sie ihre Haare frisiert. Sie stellte eine zierliche Flasche mit Weißem und ein Glas auf den Tisch, er möge sich selbst bedienen, sie müsse die Hasen füttern. Er setzte sich auf die Hausbank, die aus nichts bestand als einem dicken Brett an der Hausmauer, gehalten von zwei großen Felsbrocken. Das glattgesessene Brett sah aus, als seien darauf bereits vor hundert Jahren die Vorfahren der Marinis gesessen. Schon hörte er den Fiat Nardos sich den Steilhang heraufquälen, gleich darauf redeten die beiden laut auf der anderen Seite des Hauses, auf der Zufahrt, unter den Eichen, wo Nardo seinen Wagen immer stehen ließ. Er strahlte Stefan an, er solle doch sitzen bleiben, ging mit zwei Plastiksäcken ins Haus, aus dem einen Sack ragte ein langes Weißbrot. Später setzte er sich zu ihm, fragte nach den Blüten der Olivenbäume in Mora; Stefan erwiderte, er habe sie leider in letzter Zeit nicht so genau angeschaut. Er fragte ihn, ob er seinen Simca in der Kurve unten abstellen dürfe: Auf dem Parkplatz oberhalb von Mora stehe der Wagen immer in der prallen Sonne. Er merkte, Nardo war unruhig und wirkte erleichtert, als Stefan sich verabschiedete, obwohl er sagte, »Trink doch noch ein Glas.« Er antwortete, er habe noch viel zu tun bis zum Dunkelwerden. Beschwingt hüpfte er wie immer nach einem Besuch bei den Marinis die steile geröllige Zufahrt hinab. Als er dann um die erste Kurve herum war, hörte er Nardos Wagen im ersten Gang herunterrumoren, bald darauf überholten sie ihn, winkten aus dem Fenster.

Abends saß er heraußen, über dem westlichen Hügel blinkte schon der Abendstern. Es war noch hell genug zum Lesen, er suchte im Vergil die Stelle: *ite domum saturae, venit Hesperus, ite capellae.* Geht satt heim – der Abendstern kommt –, geht, Ziegen; auf deutsch las es sich etwas holperig. Die Amseln sangen aufgeregt, er versuchte sie zu imitieren. Ein wenig fand er sich zurecht am Firmament: Zuerst war Arktur zu sehen, eine Viertelstunde später die Wega, dann, über dem Hügel im Norden der am stärksten leuchtende Stern des großen Bären; etwas später zwei, drei weitere schwach blinkende Sterne des Sternbildes, und er konnte sich die Umrisse genau vorstellen. Das Bild des Schwans erschien jeden Abend über dem Osthügel, als erster der Stern Deneb. Langsam wurde es zu dunkel zum Lesen. Das helle Gesumm der Stechmücken begann: Die etwas höher Fliegenden hoben sich über dem Schwarz der Olivenkronen und der Hügelketten vom Himmel ab, waren deutlich zu erkennen. Es waren große Gelsen, gegen das Abendlicht sah er ihre obszön zwischen den Beinchen herabhängenden Stacheln. In den ersten zehn Tagen hatte er in der Früh jedesmal gelitten an seinen zerstochenen Händen und Beinen, das juckte den ganzen Tag. Mittlerweile spürte er die Stiche am nächsten Morgen nicht mehr.

Eine Stunde brauchte er, um mit Machete und Säge auf dem Abkürzungsweg nach Cello fünfzig Meter notdürftig zu roden. Der frühere Karrenweg (über und unter ihm steiles Gelände) war nur da und dort – wenn in einer Kurve die Außenkante mit flachen Steinen befestigt war – zu erkennen. Hier schienen in den letzten Jahren nicht einmal Jäger oder Pilzsammler gegangen zu sein, alles war überwachsen mit Ginsterbüschen, Sträuchern, dicken langen Dornenzweigen, Eichen-, Fichten- und Buchenschößlingen. Plötzlich endete der Wald, das Dickicht, der federnde Laubboden. Der Weg war jetzt nur noch mit Gras und Kräutern bewachsen. Er trat ins Licht. In einer Rechtskurve wurde der Blick gegen Süden frei; zu sehen war nichts als der gefältelte, bewaldete Abhang und der gegenüberliegende Hügel, auf dem von hier aus der Hof der Castellis sichtbar war. Auf dem felsigen, moosigen Weg lagen große, von oben heruntergekollerte Steinbrocken. Auf einmal färbte der Weg sich violett – überall wuchs wilder Thymian, er war auch zu riechen. Er hockte sich hin und pflückte einige Handvoll, um sie für den Winter zu trocknen. Er ließ das Werkzeug liegen und erkundete die Fortsetzung des Wegs. Bevor dieser wieder steil anhob und in einen schütteren Wald führte, hörte er ein dünnes Bächlein von oben über eine Felsmulde rinnen, ehe es versickerte und unter dem Weg einen felsigen

Abhang hinunterrann; er dachte, es werde sich im Talgrund mit dem Orenaccio vereinigen. Er schätzte, er habe erst ein Viertel des Weges gerodet, wollte ein andermal weitermachen.

Frühmorgens, im Linienbus nach Urbino aus dem Fenster schauend, auf die Berge des umbrischen Apennin, fiel ihm der junge deutsche Landwirt ein, der ihn neulich in der Bar von Castiglion Fibocchi angeredet hatte, ein Rinderzüchter, der, wie er sagte, sich auf Rindfleisch höchster Qualität spezialisiert habe und auf allen Märkten in der Gegend vertreten sei. Als Stefan Gello Biscardo erwähnte, sagte der Mann, der in dreckigen Gummistiefeln an der Bar gestanden war, in einem Dorf oberhalb von Gello lebe ein Deutscher, der 1944 als blutjunger Soldat hier mit der fünften oder achten Armee der Wehrmacht durchgekommen sei; in einem Ort hätten sie das steinerne Tor niedergerissen, damit sie mit den Panzern ins Zentrum fahren konnten. Solche Ereignisse seien hier immer noch unvergessen; als Deutscher habe man es anfangs sehr schwer. Er sei mit dem Mann einmal auf dem Markt in Arezzo ins Gespräch gekommen, ein freundlicher vereinsamter alter Herr, den er Monate später zufällig in der Bar von Loro Ciuffena wieder getroffen habe; der Barbesitzer habe ihm später gesagt, nach einigen Gläsern offenbare der freundliche Herr seine Geisteshaltung. In Gello könne es nicht gewesen sein, erwiderte Stefan, auf der Piazza könnte nicht einmal ein größerer Personenkraftwagen wenden.

Die Säle in der Galerie des Herzogspalastes durcheilte

er rasch, bis zu dem Saal, in dem die beiden berühmten Gemälde ausgestellt waren: Piero della Francescas *Geißelung Christi* und Raffaels *Porträt der Stummen*. Kordeln waren in einer Entfernung von zwei Metern vor den Bildern gespannt. In einem der weitläufigen Säle des Palasts trat er in eine Fensternische; in jeder waren links und rechts vom Fenster kleine marmorne Ecksitze. Wo früher der Herzog Federico da Montefeltro und seine Minister und Bedienten aus- und eingingen, konnte nun jeder durchpassieren. Junge amerikanische Pärchen mit Mineralwasserflaschen und Coca-Cola hockten im Kreuzsitz auf dem Steinboden und kicherten laut; ein greiser Saalordner brachte sie mit einer knappen Geste zum Schweigen.

Neben dem Eingang zum Geburtshaus von Raffael an der steilen Via Raffaelo bemerkte er ein kunsthandwerklich gefertigtes Kachel-Schild: *Tattoo-Center*. In dem kleinen Zimmer, das als sein Schlafzimmer bezeichnet wurde, hing eine gerahmte Zeichnung von Bramante. Der Blick aus dem Fenster, hinunter auf die abfallende Gasse: Das Haus gegenüber war verkommen, die Fassade bestand meist aus der rohen Ziegeloberfläche mit Verputzresten. Das Raffael-Haus mit seinen auf mehrere Etagen und Halbetagen verteilten Räumen gefiel ihm; aber es mußte kürzlich erst renoviert worden sein, alles war ihm zu weiß und zu geputzt und überall hingen Kopien von herzigen Madonnenbildern.

Im Café auf der Piazza della Repubblica fand er gerade noch ein leeres Tischchen im Freien. Der Rotwein kam aus dem Kühlschrank. Ein Dreiradtransporter stieß vom Platz pfauchend zurück zum Lieferanteneingang. Gegen die Sonne sah er den aufgewirbelten Staub, der sich, vermischt mit Auspuffgasen, langsam auf die Tische legte, in die Kaffeeschalen und Biergläser und auf die Speisen. Mein Italienisch, dachte er auf einmal, klingt wahrscheinlich in den Ohren der Italiener genau so lächerlich wie das von anderen österreichischen oder deutschen Reisenden, die sich darin versuchen. Jeder will halt, sagte er sich, das bißchen Gelernte anbringen. Ich bin auch bloß ein Gaffer, der hier im Grunde nichts verloren hat. Diese Stadt wurde erbaut, diese Architektur errichtet, damit eine Gemeinschaft von Menschen darin und mit ihr lebe. Gäbe es bloß Reisende wie Goethe oder Seume, keine Gesellschaft käme auf die Idee, sich selbst und ihre Heimstatt zur Besichtigung auszustellen für die gelangweilten Menschenmassen, daraus ein Geschäft zu machen und schließlich ihre Existenz daran zu hängen.

An einem Tisch neben ihm saß ein bulliger Schwarzer in einem gelben, fast durchsichtigen Umhang; er stellte sich vor, der Sohn des Staatspräsidenten eines afrikanischen Staates. Zwei mollige, in bunte Seide gewickelte schwarze Schönheiten saßen bei ihm sowie zwei Boxer- und Gangster-Typen, vielleicht seine Leibwächter. Wie er so dasaß: dem gehörte die Welt.

Jetzt war es höchste Zeit, zur Bushaltestelle hinunter zu laufen. Als er auf dem Platz, wo die Busse abfuhren, ankam, saß der Fahrer des Busses nach Arezzo noch nicht auf seinem Sitz, andere stehende Busse verqualmten die ganze Gegend mit Dieselrauch. Er setzte sich unter eine schattige Pinie, deren Krone mehr braun als grün war, behielt den Bus im Blick. Oben auf dem Platz vor dem Palast hatte er eine Greisin mit einem Korb voller getrockneter Kräuter hausieren gehen sehen. In dem Verkehrsbüro, wo er sich den Stadtplan besorgt hatte, komplimentierte eine junge Frau, die einen rötlichen Seidenschal um ihre Schultern drapiert hatte, sie grob hinaus, als handle es sich um eine Bettlerin. Nun näherte die Alte sich der Bank, er rutschte zur Seite. Der Kräuterkorb, den sie zwischen sich und ihm abstellte, schien noch genau so voll wie vorher. In welches Dorf mochte sie heimfahren?

Er trug den Klappstuhl die Treppe hinunter, suchte eine Stelle beim Tisch, wo er nicht wackelte. Der Platz vor dem Haus, der Schau-Platz. Vor ihm die gemähte Wiese mit dem Olivenhain; dahinter das abfallende Terrain; an einer Stelle führten unebene Stufen aus gewachsenem Fels hinunter zu einem weiten Feld, wo früher einmal Getreide angebaut worden war. Den überwachsenen Pfad benützten Jäger und Pilzsucher; die Kinder aus Gello kamen mit Netzen vorbei, unterwegs zum Oberlauf des Baches, wo sie Krebse fingen und kleine Fische.

Im Blickfeld vor ihm schnitten sich auf halber Distanz zu Gello Biscardo der halbrunde bewaldete Abhang des Hügels im Westen mit dem im Osten: Dahinter, im Nordwesten wie eine Kulisse der breite Hang eines Hügelzugs mit Olivenhainen, Weinbergen, Feldern, schütteren Eichen- und Kastanienwäldern. Linkerhand endete die Hauswiese an der Kante einer Terrassenmauer. Unterhalb derselben fiel das Gelände steil ab bis zum Talgrund, zu dem Bach, wo er sich manchmal abends wusch oder abkühlte; da gab es verwilderte Terrassen, die früheren Olivenhaine völlig zugewachsen mit meist dornigem Gestrüpp. Die ebene Fläche vor dem Haus war im Grunde auch bloß eine etwas größere Terrasse, gehalten von Steinmauern. Rechterhand ging sie über in den steilen Hang, der sich, über die Zufahrt hinweg hinaufzog zur Straße und darüber hinaus. Oben, er mußte den Blick zum Himmel heben, waren die Terrassen mit dem bewirtschafteten Olivenhain zu sehen; manchmal hörte er jemanden hakken und sägen oder zwei Männer sich unterhalten. Anfangs hatte ihn das irritiert, denn es klang, als kämen die Geräusche von ganz nah, von einer der Terrassen entlang der Zufahrt. Wenn der Wind aus dem Norden wehte, hörte er ab und zu einen Hahn krähen; wenn er in Richtung Gello hinaufschaute auf den Osthügel, sah er auch den Wipfel der riesigen Eiche über den bewaldeten Hang ragen, welche oberhalb des Hauses von Nardo Marini stand; seit er bei ihm oben war, konnte er sich von hier unten aus die Lage des Hauses vorstellen. Wo sich die linke und die mittlere Hügelkuppel schnitten, wölbte sich dahinter, in Richtung Florenz, ein vierter, kleinerer, halbkreisförmiger Hügel, der zum Pratomagno gehörte. Er nannte es die »Wetterecke«; wenn dort hinten am Abend Wolken standen oder die Kuppe verhüllten, gab es am nächsten Tag schlechtes Wetter.

Den vorderen Hausteil hatte früher einmal Signora Cassi bewohnt; die kleine Küche und zwei Zimmer. Sie soll sehr reich gewesen sein und herrisch und Landgüter in der Gegend besessen haben. Ihr Stammsitz, eine schlößchenartige Villa, sei drüben in Rassina gewesen. Anscheinend war sie mehrere Monate im Jahr herumgefahren und hatte auf jedem ihrer Güter eine Weile gelebt, alles kontrolliert, die Leute angetrieben und Getreide, Öl, Wein, Früchte weggeschafft. Dieser Hausteil war tatsächlich viel besser erhalten als die übrigen Räume des Hauses. Sie sei niemals verheiratet gewesen, hatte Mario erzählt, er müsse noch irgendwo eine alte Fotografie haben, auf der die Cassi zusammen mit zwei Jägern und einer erlegten Wildsau vor dem Haus zu sehen sei. Geschlafen wird sie wohl in dem kleinen Südzimmer haben, wo auch er schlief. Heinrich sagte voriges Jahr, Mora mit seinen Parzellen sei im Grundbuch als Brandruine eingetragen gewesen, deshalb habe man seinen Wert als sehr gering eingestuft. Er versuchte sich vorzustellen, wie Signora Cassi ihre Notdurft in den Büschen verrichtete.

Motorengeräusch näherte sich aus Richtung Gello, verklang wieder in der Bucht einer Kurve, dann knatterte eine Maschine den Weg herunter zum Haus. Wieder einer der Jugendlichen, die am Wochenende aus lauter Langeweile mit ihren Motorrädern herumfuhren? Es war Sergio. Sein Vater, der in Florenz einen Tapeziererladen besaß, hatte ihm also zur Belohnung für das Zeugnis die Yamaha-Enduro-Maschine gekauft. Er hob den Arm, umrundete den Tisch, an dem Stefan saß und Gemüse zerkleinerte. Endlich stellte er den Motor ab. Als Sergio zwei Wochen zuvor davon erzählt hatte, hatte Stefan gehofft, er würde schlecht abschneiden. Ihm reichte der Krawall, den Gianni mit seinem Kleinmotorrad machte oder Franco Ferretti an den Wochenenden mit der Vespa, deren Auspuff er ausgeräumt hat. Es sei telefoniert worden für Stefan, er solle zurückrufen, es sei dringend; aber wen er anrufen solle, wußte er nicht. Namen habe Mario keinen genannt; die Verständigung sei auch sehr schlecht gewesen.

Das runde Zirpen der Grillen: Wie erzeugten sie bloß diesen kollektiv an- und abschwellenden, zusammenschwingenden Rhythmus? Eine Einladung zur Paarung sollte das bedeuten. Im Geäst des Pflaumenbaums lärmte eine Zikade. An der Hausmauer dröhnte eine Hummel auf und ab, inspizierte die Mauerlöcher und Ritzen. Wenn die eine Zikade im Pflaumenbaum schwieg, zirpte in den Büschen auf den Terrassen, die sich rechts vom Haus den Hang hinaufzogen, wie als eine Antwort ein ganzer Schwarm. Am Gegenhang vorne, auf den Feldern von Gello, blubberte kaum hörbar ein Traktor. Wohltuend die Pausen, wenn alles schwieg. Er erhob sich vom Stuhl, suchte die Zikade im Baum. Sie stand gut getarnt auf der Rinde des Stamms. Dunkelgrauer Leib, die großen angelegten Flügel durchsichtig; obwohl sie vor seiner Nase gelärmt hatte, hatte er sie lange nicht entdeckt.

Dieser Sommer sei ungewöhnlich heiß, sagten die

Leute in Gello. Stefan traute sich nicht mehr wie sonst gegen neun Uhr zwischen die Leintücher zu schlüpfen. Mario, Carlo, Gianni, Renzo und andere Männer und Burschen aus Gello hatten sich angewöhnt, alle zwei, drei Abende nach zehn Uhr, wenn die Luft etwas abkühlte, nach Mora zu spazieren. Sie redeten und redeten und redeten. Einmal hatte er sie mit dem Wasserkanister im Rucksack bis zum Brunnen zurückbegleitet. Er erinnerte sich an Paveses *Teufel auf den Hügeln:* wie in dem Roman, so hatten auch hier die jungen Männer anscheinend das Gefühl, das Leben ziehe an ihnen vorbei, sie würden alles versäumen. Zweimal schon hatten sie vor dem Haus seinen Namen gerufen, ihn zum Aufstehen und Anziehen genötigt; sie saßen dann alle auf der Treppe und auf Stühlen, die er rasch aufklappte. Wein wollten sie nicht. Mario wirkte viel jünger, wenn er mit den Jungen unterwegs war. Meinten sie, er fühle sich einsam auf Mora? Ihn störte, daß er nie wußte: Kommen sie heute abend oder kommen sie nicht? So blieb er immer öfter abends lange draußen sitzen und schaute in den nächtlichen Himmel.

Letzten Sommer, als Francesca noch lebte, war Mario abends nie weggegangen. Nach dem Essen saßen sie vor dem Fernseher, die Tür stand offen, manchmal kam ein Nachbar die Treppe herauf, schaute herein, blieb eine Weile sitzen oder auch nicht oder Mario ging mit ihm auf den verandaartigen Treppenabsatz hinaus, um etwas zu besprechen. Damals stand immer eine Flasche mit gutem Wein auf der Kredenz. Wenn Stefan abends zum Telefonieren kam, saß er hinterher mindestens eine Stunde am Tisch; wenn das Essen noch im Gange war, wurde ihm ein

Teller hingestellt. Die Einrichtung der Wohnküche hatte sich nicht geändert, aber seit Francesca nicht mehr war, wirkte der Raum, als sei nicht bloß ihr Leben abgestorben.

Immer öfter war er im letzten Sommer eingeladen worden zum Essen, wahrscheinlich hatte er ihnen leid getan so allein in Mora; schließlich galt es unausgesprochen als abgemacht, daß er jeden Abend bei ihnen erschien. Nach dem Essen ließ man ihn nicht gehen, den Film *Il bidone* oder *I vitelloni* müsse er noch sehen (damals wurden im Fernsehen die alten Fellini-Filme wiederholt), und er blieb sitzen, dachte, dabei lernst du Italienisch, aber er dachte auch an Mora: Hast du vor dem Weggehen alle Eßsachen weggeräumt und den Müllsack aufgehängt? Sonst geschah es wieder, daß die ganze Küche voller Ameisen war oder Mäuse den Müll durchwühlten. Auch der nächtliche Heimweg im Finstern hatte den Reiz des Abenteuerlichen verloren, er war erschöpft von der Arbeit des Tages; nur auf dem Weg hinunter zum Haus merkte er auf, knipste wegen der Wildschweine immer wieder die Taschenlampe an, und drosch mit dem Stock gegen die Büsche und Baumstämme am Wegrand, und manchmal hörte er aus dem Dickicht unterhalb des Wegs ein wütendes Gegrunze. Nach zwei Wochen hatte er rebelliert: So bequem es war, nicht kochen zu müssen (in Erwartung des ausgiebigen Abendessens aß er zu Mittag nur Käse und Schinken) – er hatte noch kaum eines der mitgebrachten Bücher aufgeschlagen, vom Schreiben gar nicht zu reden.

Vor allem hatte er es geliebt, nachdem er im und um das Haus alles für die Nacht vorbereitet und die Zähne geputzt hatte, vor dem Haus zu sitzen und in die Landschaft zu schauen. Eines Nachmittags kamen Gianni und Sergio in Badehosen, mit Angelruten vorbei – auf einmal, während er auf der Terrasse unterhalb der Wiese die Sense absetzte, um das Blatt zu schärfen, waren sie vor ihm gestanden. Gefangen hätten sie nichts, sagten sie, der Bach führe nur sehr wenig Wasser. Da hatte er die Gelegenheit benützt und dem Papa ausrichten lassen, er komme heute abend nicht zum Essen, er habe eine Schreibarbeit. Auch am nächsten Abend ging er nicht nach Gello, erst am übernächsten Vormittag, einem Sonntag, als er sich in der Kirche hatte sehen lassen wollen. Da er spät dran gewesen war und einige Müllsäcke zu entsorgen hatte, war er mit dem Wagen gefahren. Als er sich von den Müllcontainern kommend dem Dorfeingang näherte, sah er Mario mit anderen Männern an der Felsmauer beim Brunnen lehnen; mit einem geknickten Bein stützte er sich am Felsen ab. Sogleich merkte er, daß Mario verstimmt war; er erwiderte seinen Gruß kaum, mied seinen Blick. Er war unrasiert, unterhielt sich weiter mit dem alten Bianchi, dem pensionierten Maurer; Stefan war dabei gestanden, wußte nicht, ob er bleiben oder gehen solle. Francesca kam von den Terrassen oberhalb von Gello herunter, in zwei Plastiksäcken schleppte sie Gemüse und Obst heim. Sie grüßte ihn wie immer. Was er denn treibe, er habe sich lange nicht blicken lassen. Mario löste sich von der Mauer, lud ihn mit einer Kopfbewegung ein, ihnen zu folgen. Als sie die Stufen zu seiner Haustür hinaufstiegen, fragte er Stefan, warum er nicht mehr zum Essen gekommen sei.

Die Frauen saßen schon alle in der Kirche, die Bänke auf der linken Seite so ziemlich besetzt; auf der Männerseite nur wenige. In der vordersten Reihe festlich gekleidete Leute. Die pensionierten Arbeiter standen noch heraußen, obwohl es schon zur Messe geläutet hatte. Die Buben Marios kamen von der Piazza herauf, dann schnaufend die Familie Ferretti. Hinter Antonio betrat Stefan die Kirche, stellte sich zu den alten Männern, die sich in Werktagshosen hinten stehend neben dem Eingang postiert hatten und sich während der ganzen Zeit ungeniert unterhielten. Der Pfarrer (er dachte, ein Indio aus Südamerika?), erschien mit Gianni als Ministrant, begrüßte die Familie in der ersten Reihe: Ein etwa zehnjähriges Mädchen war als Braut aufgeputzt. Erst zum Schluß begriff er: eine Erstkommunion. Er wäre nie darauf gekommen, daß die Sprache des Pfarrers Italienisch sei. Nach einer halben Stunde, als die Zeremonie der Kommunion begann, verwandelte sich die Szene um den Altar in eine Art Filmstudio. Stefan nahm an, es sei der Vater des Mädchens, der mit einer Filmkamera die Tochter von allen Seiten filmte; einmal legte er sich sogar auf den Fliesenboden des Altarraums, um sie aus dieser Perspektive auf den Film zu bekommen. Zwischendurch ging die unscheinbar wirkende Mutter zu dem Kind, zupfte das weiße Kleid, den weißgrünen Kranz und den Schleier zurecht und zog sich wieder zurück. Der Vater ignorierte den Pfarrer, der mit Gianni (man sah seine Blue Jeans und die schmutzigen Turnschuhe unter dem weißen Ministrantenkittel) abwartend auf die Seite getreten war, und filmte nun vom Eingang zur Sakristei die Szene. Das Mädchen, zuerst befangen, drehte sich kokett, streckte die gefalteten Hände dem filmenden Vater entgegen; dieser schien völlig hingerissen von seinem Töchterchen. Weitere Männer aus der ersten Reihe in schwarzen Anzügen traten vor zum Altar, fotografierten und filmten, Blitze zuckten durch den Raum. Einige der Rentner, die neben Stefan standen, verließen die Kirche durch das offen gebliebene Tor; als auch er hinausging, rückten sie auf der Bank am Kirchvorplatz zusammen, beachteten ihn aber, als er sich zu ihnen setzte, nicht weiter. Ein ungefähr fünfzigjähriger Mann, steifer Gang, Radrennfahrerdreß, kam vom Dorfplatz herauf und schaute in die Kirche hinein. Als die festlich gekleidete Gruppe nach zwanzig Minuten herauskam, wiederholte sich das Postieren und Gruppieren und Fotografieren. Antonio scherzte mit einem der Pensionisten; er und Cristina luden Stefan zum Espresso in ihr Haus. Als er sich auf dem Weg hinunter auf die Piazza und hinein in die schmale schattige Gasse verwundert zeigte wegen des Spektakels während der Messe, sagte Cristina, Romano, der Vater des Mädchens, sei ein Sohn von Fagioli, dem das erste Haus am Dorfeingang gehöre; seit fünfzehn Jahren lebe Romano mit seiner Familie in Montevarchi. Sein Bruder, der in Arezzo lebe, sei auch gekommen. Während Cristina den Espressokocher reinigte und auf den Gasherd stellte, drehte Antonio den Schwarzweiß-Fernseher an, eine amerikanische Revue, Mädchen in kurzen Röckchen, die ihre langen Beine hochschnellen ließen. Wieder sprach er von La Verna. Er habe dort nächste Woche zu tun, gehöre dem Komitee der Förderer an.

Erstmals stellte er den Wagen in die schattige Schneise nahe der Auffahrt zu den Marinis und nahm, Plastiksäcke in beiden Händen, den Abkürzungsweg nach Mora. Er konnte diesmal keine Steine aufheben und vor sich her werfen. An der Stelle mit der freien Sicht gegen Süden, wo er mit Sichel und Handsäge Dornen- und Ginsterbüsche sowie in den Weg hereinragende Äste von jungen Eichen und Buchen gerodet hatte, blieb er stehen. Der Boden, wo er damals Thymian-Blüten gepflückt hatte, leuchtete stellenweise bereits wieder rosa. Die Strahlen der Sonne prallten gegen die eine Böschung bildende schrundige großflächige Felsplatte. Am rechten Wegrand waren hier deutlich die Steine zu sehen, die ein Wegmacher vor langer Zeit zur Befestigung des Wegs gesetzt hatte. Er schien jetzt so schmal, daß man sich nicht vorstellen konnte, wie hier einmal mit Fuhrwerken hatte gefahren werden können. Ein paradiesischer Ort, dachte er. Hinter sich hörte er vom Hang herunter ein Rinnsal glukkern, das dann unter dem Weg durchfloß. Er hockte sich hin, pflückte ein paar Blüten, zerrieb sie mit Daumen und Zeigefinger und roch daran. Da lähmte etwas ihn vor Angst, noch ehe er sah, daß über ihm auf einem ebenen Vorsprung des abfallenden Gesteins eine dicke Schlange in Angriffstellung war; ihr Leib hörte gerade auf, sich einzuringeln, der Kopf zog sich zurück. Vor Schreck rührte er sich nicht, dachte bloß, es ist aus, kein Mensch wird mich finden hier. Er überlegte, sich zurückfallen zu lassen ... Starr blickte er auf das Knäuel vor sich. Der Kopf der Schlange bewegte sich fast unmerklich hin und her, als peile sie den besten Zielpunkt an, der Leib verschob sich immer noch etwas ineinander, als sei das Maximum an Anspannung, an Sammlung für den Angriff noch nicht völlig erreicht. Es ist aus ... Wie weit würde er sich schleppen können, wie lange würde er brauchen bis zum Auto, und würde er überhaupt fahren können? Das dünne Bächlein hinter ihm war jetzt, als hätten seine Sinnesorgane sich geschärft, deutlicher zu hören. Bis nach Arezzo würde er es nicht schaffen in einer halben Stunde, und dann erst das Krankenhaus suchen in dem chaotischen Verkehrsgewühl ... Der Kopf der Viper zitterte leicht hin und her.

Wie gelähmt war er zuerst nicht imstande, aufzustehen; er überlegte, wie lang diese Konfrontation gedauert hatte, der Moment des tödlichen Erschreckens. Wahrscheinlich waren es bloß fünf oder zehn Sekunden gewesen – bis die Schlange beängstigend langsam den Kopf gegen den Felsen wendete und in der Rinne des Vorsprungs langsam dahinglitt, vierzig Zentimeter vor ihm. Schließlich ließ er sich auf die Seite fallen, kratzte eine juckende Stelle an der Wange und roch den Thymian an seinen Fingern.

Bruthitze fuhr ihm entgegen, als er die zwei-
geteilte Glastür der Telefonzelle von San Giustino auf-
drückte, gegenüber einem Wohnblock, in dem auch das
örtliche Büro der kommunistischen Partei untergebracht
war. Zwischen der Zelle und dem Block die Autoabstell-
plätze der Bewohner. Aus einem der Fenster im ersten
Stock hing die PC-Fahne, Kindergeschrei war zu hören.
Mit einem Bein spreizte er die Klapptür auf, um in der
Zelle nicht zu ersticken, und stellte dann fest, daß er nicht
genug Münzen in der Börse hatte. Für ein Ferngespräch
waren nur 500-Lire-Münzen geeignet. Diese sammelte er,
gab sie für keinen anderen Zweck aus; für ein kurzes Aus-
landsgespräch wären mindestens sechs Stück erforderlich
gewesen. Das öffentliche Telefon der Bar befand sich in einem fensterlosen, mit schwacher Glühbirne beleuchteten
Raum, in dem außerdem ein paar Spielautomaten untergebracht waren. Die Falttür des Kastens konnte man
schließen, doch lärmten die Jugendlichen, die sich dort auf-
hielten, meistens so ohrenbetäubend, daß das Telefonieren
mühsam oder unmöglich war. Manchmal war die Verbindung derart schlecht, daß er den Hörer an den Kopf preßte
und einen Finger ins andere Ohr steckte. Auch war Ma-
rietta, die Chefin, unfreundlich, so daß er sich jedesmal
überwinden mußte, zu fragen: *posso telefonare?* Und immer war er erleichtert, wenn sie am Zähler neben der

Kasse auf den Knopf drückte, ihn auf Null stellte und *può andare* rief. In der Zelle wischte er zuerst den Hörer, auf dem noch der Schweiß des Vorgängers zu spüren war, am Hosenbein ab. Manchmal piepste das Telefon schon nach dem Wählen der Österreich-Vorwahl. Die Erleichterung dann, wenn er sehr weit entfernt, das Läuten hörte, wenn Cousine Elisabeth abhob und versicherte, bei ihnen zuhause sei alles in Ordnung, der Mama gehe es besser, sie habe das Krankenhaus verlassen können. Im Zeitungsladen schaute er sich auf dem drehbaren Taschenbuchständer die Titel an, Natalia Ginzburg, Calvino, Moravia. Er blätterte im dünnen Roman *Cronaca familiare* von Vasco Pratolini, las, der Autor habe im Valdarno gelebt, und erinnerte sich, daß Vittorio ihn erwähnt hatte. In der Bar hielt er sich nur kurz für einen *caffè* auf: Obwohl das Auto auf dem schattigen Parkplatz am Ortsende stand, war es im Wageninnern zu warm, er mußte an den Schinken und die Milch und die Ricotta denken. Vor der Bar ein Alfa Romeo mit laufendem Motor, Florentiner Kennzeichen.

Beim Friseur gegenüber bat er um einen Termin für den übernächsten Tag. An allen Wänden hingen gerahmte Fotografien von Radrennfahrern, auf einer Konsole standen Pokale. Der junge Gehilfe rasierte gerade einen alten Herrn; er bat Stefan, seinen Namen selber in den Kalender einzutragen. Im kleinen Geschäft daneben gab es Geschirr, Haushaltsartikel, aber auch Socken, Halstücher, Sonnenbrillen. Er kaufte einen Becher, Ersatz für die beim Abwaschen zerbrochene Teeschale. Der schnurrbärtige Inhaber, ein zartes Männchen um die vierzig, war überaus servil; er verpackte den weißen Steingutbecher mit den

Zitronenmotiven so hübsch, als hätte Stefan angedeutet, es sei ein Geschenk.

Auf dem Parkplatz oberhalb von Mora angelangt, packte er das Eingekaufte in den großen Rucksack und stapfte hinunter. Schon wieder wuchsen einige Dornenzweige in den Weg herein; die Früchte der beiden Hagebuttensträucher, die vom Terrassenhang heraufragten, färbten sich hier und da schon dunkelrot. Er stellte sich vor, Mora sei sein Eigentum, auch dieser Weg, dessen hoch wuchernden Mittelstreifen aus Gras, Blumen und Kräutern er endlich hätte mähen sollen. In der Spitzkehre flitzte von der Steinplatte eine grüngelbe Natter ins Dickicht. Diese sandfarbene Felsplatte war irgendendwann von oben heruntergekollert und am Beginn der Kurvenaußenseite, halb noch auf der Böschung, liegengeblieben.

Er verstaute die Einkäufe in der Küche, schnitt die Ricotta in Scheiben, und aß sie, nachdem er sie leicht gesalzen hatte; dazu das frische Weißbrot. Aus dem bewaldeten Hügel im Osten hörte er ein Tier klagende Schreie ausstoßen. Bei einem ähnlichen Schrei im letzten Sommer hatte Mario erklärt, es sei wahrscheinlich ein Reh, dem sein Kitz abhanden gekommen sei. Kaum hatte er den Schrei jetzt einigermaßen lokalisiert, hörte er den nächsten von ganz woanders her, das Tier schien im Wald herumzufliegen.

Mario erzählte während der Fahrt nach Arezzo, Vittorio habe in seiner Jugend Gedichte geschrieben, einige seien in Zeitschriften veröffentlicht worden. An der Peripherie fuhr er auf die Autobahn Richtung Florenz, verließ sie bei Arezzo-Nord wieder, Industriegegend, flache, niedrige Fabrikgebäude auf Betonpfählen, alle mit weitläufigen Autoabstellplätzen, Generalvertretungen amerikanischer Autofirmen, Autozubehör, Baumärkte. Entlang der Straße eine Reklametafel hinter der anderen. Vittorio sei ungehalten, sagte Mario, weil beide erwachsene Kinder bei ihnen wohnen blieben. Wenn Daniela im Herbst heirate, werde wahrscheinlich auch der Schwiegersohn noch bei ihnen einziehen, der habe bisher bei seinen Eltern gewohnt. Er fuhr in den Hof eines Supermarkts zur *cantina sociale*. Sollte Stefan Wein oder Olivenöl kaufen wollen, könnten sie das noch schnell erledigen. Stefan erinnerte sich, daß Mario ihm schon ein paarmal von diesem Geschäft erzählt hatte. An den Wänden der geräumigen Halle standen weitläufige Metall-Regale mit Weinflaschen, im Hintergrund solche mit Essig- und Ölflaschen; alles wirkte sauber und ordentlich, die Preise waren niedrig. Man könne hier auch offenen Wein kaufen, aber dazu hätten sie ein paar leere Flaschen mitnehmen müssen. An den Flaschenetiketten sah Stefan, daß die Rotweine aus der Umgebung von Arezzo kamen, und er beobachtete, wie ein Mann aus einem großen Aluminiumtank mit dem Schlauch Rotwein in eine Fünfliter-Bouteille abfüllte.

Nach einer weiteren Viertelstunde Fahrt hielten sie vor einem großen Wohnblock in der Via Vasco da Gama. Schon beim Aussteigen sah er Vittorio in der Garage stehen. An einem vollgeräumten Werktisch schnitt er mit einem großen Messer von einer Schinkenkeule dünne Scheiben ab. Allein, sagte Stefan zu Vittorio, hätte er in dem Gewirr der Einbahnstraßen mit dem Wagen niemals hierhergefunden. Er bringe nur schnell den Schinken in die Wohnung hinauf, sie sollten warten, rief Vittorio, erst einmal würden sie auf einen Aperitiv in die Bar gehen. Nachdem Stefan nach einem Blumengeschäft gefragt hatte, er wollte Blumen besorgen für Eva, meinte Mario, das sei nicht nötig. Als sie auf dem Weg zur Bar an einem Blumenladen vorbeikamen, bestand Stefan jedoch darauf, einen Strauß zu kaufen. Der Inhaber, ein schwabbeliger Mann in einem grauen Kittel, fragte Vittorio, woher Stefan komme. Austria? Was sie dort für Parteien hätten, ob es Kommunisten gebe? Stefan sagte: *Democristiani, Socialisti, Liberali, pochi Comunisti* … Sie würden draußen auf ihn warten, sagte Mario. Der junge Gehilfe machte die Rosen zurecht. Er breitete ein Stück Silberfolie aus und legte die Blumen kreuzweise zusammen, eine kurze, dann eine längere Rose, fächerförmig; dazwischen zarte Zweige. Man sah, die Arbeit freute ihn. Das fertige Gesteck sah pompös aus; beinahe genierte Stefan sich, als er mit dem Riesending auf die Straße trat, wo die beiden mit einer jungen Frau redeten. Auf dem Rückweg zum Wohnblock

Vittorios versuchte er sich vorzustellen, wie es wäre, in Arezzo mit einer Italienerin zu leben. Maurizio werde womöglich seine Arbeit verlieren, sagte Vittorio, es gebe Gerüchte, wonach die Aretiner Philips-Filiale schließen müsse. Daniela sei arbeitslos; es gelinge ihm nicht, sie bei der Gemeinde unterzubringen, obwohl er den Bürgermeister …

»Ihr Kommunisten«, unterbrach ihn Mario, »behauptet immer, bei euch gebe es keine Kumpanei, aber ihr seid auch keine Heiligen …«

Als sie in die Wohnung im fünften Stock traten, eine Gemeindewohnung, wie Mario gesagt hatte, übergab er die Blumen der Hausfrau. Verlegen nahm sie sie entgegen, entschuldigte sich, sie müsse wieder in die Küche. Im Wohnzimmer lag Daniela auf der Couch, die Beine auf dem Beistelltischchen; auf dem Fernsehbildschirm war eine amerikanische Comedy-Serie zu sehen. Vittorio verscheuchte sie mit einer Handbewegung und ging voraus auf den Balkon, kurbelte den Sonnenschutz hoch. Es war schwül. In der Ebene im Westen hatte der Horizont den sichtbaren Rest der Sonne zum Zerfließen gebracht. Hundert Meter von der Siedlung entfernt führte die Schnellstraße vorbei, eine der *Tangenziali*. Dichter, schleppender Autoverkehr, Gehupe, Sirenen von Rettungswagen. Vor dem Haus bis zur Straße breiteten sich Schrebergärten aus. Unten im Garten hatten sich Kinder ein Häuschen aus Kisten, Blech und Pappe gebaut und daneben ein Feuer entzündet, um das sie herumhüpften. Vittorio wollte ihm seine Sammlung von Video-Cassetten zeigen. Robert de Niro, von dem habe er fast alle Filme aufgenommen. Stefan interessierten mehr die Bücher in den Regalen des pompösen Wohnzimmerschranks. Silone, Pavese, Pirandello, Tomasi di Lampedusa … Er kannte diese billigen, schön ausgestatteten Klassikerausgaben »500 Meisterwerke zeitgenössischer Erzähler«; immer noch erschien monatlich einer der Bände, die nicht mehr kosteten als zwei oder drei Zeitungen. Er sagte, die beiden Bände, Vittorini und Pavese, die er letzten Sommer gekauft und in Mora gelassen habe, hätten durch die winterliche Feuchtigkeit gelitten. Daneben standen in dem Schrank abgegriffene Lyrikbände von Pascoli, Carducci, Foscolo und eine Reihe von Großbänden, in der Art der Time-Life-Bände. Vittorio fragt ihn, ob er den Film mit de Niro, von dem er ihm erzählt habe, kenne, aber der italienische Titel sagte Stefan nichts, er verstand bloß *Amerika*. Vittorio schob die Cassette in das Gerät, der Apparat flimmerte, als er ihn einschaltete, hierauf drückte er alle möglichen Tasten, fluchte, schimpfte über seine Tochter.

Maurizio stand plötzlich im Zimmer, von der Arbeit kommend; er schien nicht gerade begeistert, Besuch vorzufinden, wirkte nüchtern, abgespannt, schimpfte in der Küche mit seiner Mutter, warum das Essen noch nicht fertig sei. Vittorio rief, der Fernseher funktioniere schon wieder nicht. Maurizio drückte ein paar Tasten, und schon gab es ein scharfes Bild.

Während des Essens draußen am Balkon lief drinnen der Fernseher weiter. Es gab zuerst Crostini, dann Spaghetti mit Schinken, ein Kotelett mit Kartoffeln und Spinat, dazu einen sehr guten Rotwein. Sie schimpften, Stefan esse zuwenig, trinke zuwenig, ob es ihm nicht schmecke, dabei aß er dreimal so viel wie gewöhnlich. Daniela verschwand nach dem Nudelgericht, ihr sei schlecht. Später, sie saßen wieder auf der Couch, tranken Vino Santo und Brandy, kam ein benachbartes Ehepaar vorbei. Als der Mann hörte, Stefan sei Österreicher, versuchte er deutsch zu reden, es ging nach einer Weile recht gut. Ihm gefiel ein Wort, das Signor Lombardo gebrauchte, als er den Unterschied zwischen Deutschen und Italienern charakterisierte: In Italien hätten sie den *Ungefährismus*. Stefan erwiderte, dies würfen die Deutschen manchmal auch den Österreichern vor, obwohl es immerhin einen Musil und einen Karl Kraus gegeben habe. Mario wollte heimfahren, er müsse sich um die Kinder kümmern, aber Stefan ließen sie noch nicht gehen; er werde ihn heimbringen, versprach Maurizio. Signor Lombardo erzählte von der Überschwemmungskatastrophe in Florenz vor zwanzig Jahren, der größten Flut seit Menschengedenken, bei der mehr Kunstwerke zerstört worden seien als in allen Kriegen. Sie sei durch die Abholzungen im oberen Arnotal und durch die Aufgabe der jahrtausendealten Mischwirtschaft auf den Terrassen zugunsten von Monokulturen und der daraus folgenden Erosion im hügeligen Hinterland verursacht worden.

Gegen halbzwölf fuhr Maurizio ihn nach Hause. Ein wenig fürchtete Stefan sich, weil Maurizio viel getrunken hatte und sehr schnell fuhr. Sein Vater sei ein gebildeter Mann, sagte Maurizio, Autodidakt, er kenne die Literatur. Er selbst liebe die Musik. Seine größte Freude sei es *(prima la musica, poi le donne)*, manchmal zu einem Freund nach Sinalunga zu fahren und mit ihm einen Abend lang zu musizieren. Er spiele Geige, sein Freund Klavier. Das Wort *suonare* gefiel Stefan; doch bedeutete es auch das Klingeln des Telefons. Daniela sei schwanger, sagte Maurizio, er solle das aber in Gello Biscardo keinem erzählen. Sie unterhielten sich über Vittorinis *Conversazione in Sicilia*. Unvergeßlich, sagte Stefan, sei ihm die Szene, in der der Erzähler auf der Fähre nach Messina einen Mann trifft, der Orangen verkaufen möchte, einen Plantagenarbeiter in den Orangengärten, der mit Orangen entlohnt worden war. Wie sie über Orangen redeten, auf welche Arten man sie zubereiten könne, sogar als Salat. Oder die Ankunft in seinem Heimatort in den Bergen, die dunkle Küche, die Mutter, die für ihn einen Hering brät …

Maurizio wollte ihn bis zum Parkplatz von Mora fahren, Stefan jedoch verabschiedete sich in Gello, erklärte, er müsse noch ein wenig zu Fuß gehen, könne sonst mit dem übervollen Magen nicht schlafen. Gleich darauf bereute er es; es war so dunkel, daß er, selbst als die Augen sich an die Finsternis gewöhnt hatten, den Weg vor sich nicht sah. Auf einmal wurde ihm bewußt, daß er sich während der Fahrt tadellos mit Maurizio hatte unterhalten können; wenn er allein war, mit niemandem Deutsch redete, schien er es wie im Schlaf zu lernen.

Da es noch hell genug war, setzte er sich vors Haus und begann, den Roman von Pratolini zu lesen. Mit dem schwierigen Einführungstext hielt er sich nicht auf, las bloß, daß der Autor in einem Arbeiterviertel von Florenz geboren worden sei und seine letzten Jahre im Valdarno verbracht habe.

Quando la mamma morì tu avevi venticinque giorni … Ab und zu mußte er ein Wort nachschlagen, aber die Sätze des Autors zogen ihn in die Erzählung von den beiden Brüdern, die als Kinder getrennt aufwuchsen, weil die Mutter nach der Geburt des Zweitgeborenen starb. Er nahm sich vor, Franz am nächsten Tag anzurufen, ihn zu bitten, er solle eruieren, ob der Roman in deutscher Übersetzung erhältlich sei. Die Umgebung des Hauses, den gemächlichen Abschied des Tageslichts nahm er nicht mehr wahr; auch vergaß er, so lange es noch hell war, in der Küche etwas zum Essen herzurichten. Der Erzähler im Roman, der um fünf Jahre ältere, berichtete, wie er mit der Großmutter seinen jüngeren Bruder besucht hatte, der in der Umgebung von Florenz in der Villa eines vermögenden Engländers aufwuchs. Er wunderte sich später, daß er so lange lesen, die Buchstaben noch hatte wahrnehmen können. Jetzt mußte er in der Küche eine Kerze auf den Tisch stellen und auf der Kaminkonsole nach den Streichhölzern tasten. Als er sich aus dem Fenster beugte und das

Brett, auf dem er Gläser und kleinere Geschirrsachen in der Sonne trocknete, hereinnahm, um die Läden zu schließen, fiel ihm über dem Hügel im Südosten ein Sternbild in Form eines Stundenglases auf, das er nicht kannte und das ihn beinah erschreckte. Er ging hinters Haus schauen, wischte den Eindruck, ein höheres Wesen gebe ihm ein Zeichen, beiseite. Plötzlich erinnerte er sich, es mußte Orion sein, den er noch nie so deutlich gesehen hatte; gebannt stand er eine Zeitlang, konnte den Blick nicht von dem majestätischen Anblick wenden. Als er nach dem Essen mit dem Stuhl auf die Ostseite ging, war der fast volle Mond über dem Hügel zu sehen, er überstrahlte den jetzt höher stehenden, lange nicht mehr so beeindruckenden Orion, überzog die steinerne Hausmauer mit einem fahlen warmen Licht. Als er sich später zum Zähneputzen ins Gras hockte, war der Himmel bewölkt.

Das Telefonläuten war bis in den Garten zu hören. Heinrich entschuldigte sich für eine Minute: das sei sicher Selina, ihr Anruf vor einer halben Stunde sei unterbrochen worden; sie hätten jedoch ohnehin bereits alles besprochen. Stefan hatte gehofft und sich darauf gefreut, daß Heinrich den Tee im Haus mit ihm trinken werde, daß er ihm anbieten werde, sich etwas zum Lesen mitzunehmen, und daß er das obere Bibliothekszimmer wieder betreten und sich darin eine Weile aufhalten könnte. Aber Heinrich hatte gleich nach der Begrüßung im Flur auf den offen stehenden Hintereingang gedeutet, war voraus gegangen ins Freie, wo Tisch und Stühle unter dem Maronibaum standen. Stefan holte einen großformatigen Umschlag aus seiner Stofftasche und legte ihn auf den Tisch.

Während ein Mädchen das Tablett mit dem Geschirr brachte und abstellte, erzählte er Heinrich, daß er jetzt nachts manchmal lange wach sei und nicht wisse, warum. Und wie er sich vor ein paar Tagen in der Nacht, als er nicht mehr einschlafen konnte, plötzlich entschlossen habe, zeitig in der Früh nach Florenz zu fahren.

»Ab Incisa mit der Bahn, wie du mir einmal geraten hast. (›Ich bin nicht mehr so verrückt, mit dem Auto in die Innenstadt zu fahren‹, hast du gesagt).« Während Heinrich den Tee eingoß, nahm Stefan den Druck aus dem Umschlag und legte ihm das Blatt hin, Giorgiones *Die drei Alter des Menschen*. Es sei ihm eingefallen, daß er, Heinrich, einmal davon gesprochen habe. Einige Kunstkarten habe er auch mitgenommen. Er erwähnte Sassettas *Schneewunder*, das ihm im Palazzo Pitti den allergrößten Eindruck gemacht habe. Er habe sich von dem Madonnenbild, das etwas unglaublich Majestätisches ausstrahle, schwer lösen können und sei dann kaum mehr imstande gewesen, weitere Bilder in den Sälen anzuschauen. Heinrich nahm den Druck in die Hand: »Da hast du mir eine Freude gemacht!« Vor vielen Jahren, kurz nach seiner Übersiedlung ins Valdarno sei er einmal im Palazzo Pitti gewesen. Damals, sagte er, habe er sich mit dem mittleren Alter identifiziert. »Jetzt bin ich der Greis ... Was bedeutet der Fingerzeig des reifen Mannes auf die Schrift, in der der hübsche Knabe zu lesen scheint? Will er sagen: Bilde dich! Bilde dich rechtzeitig? Der Kopf des Greises ist abgewandt von den beiden mit ihm Stehenden, als einziger scheine er sich dem Betrachter zuzuwenden, als wolle er mahnen: *memento mori* ... Der Kopf des Knaben ist nach vorne gerichtet; der reife Mann dem Knaben, nicht dem Greis zugewandt. Ich verstehe«, sagte Heinrich, »daß mich das Bild damals beeindruckt hat, die mittleren Jahre hatte ich bereits überschritten, ich sah noch eine lange Frist vor mir, bis ich das Greisenalter erreicht hätte, bis ich mir Gedanken um den Tod machen müsste. Machst du dir Gedanken um den Tod? Vor zehn Jahren noch«, sagte Heinrich, indem er ein Zigarettenpäckchen aus der Hemdtasche zog, »also in einem Alter, in dem die meisten sich pensionieren lassen, habe ich mich jung gefühlt, ich hatte mich hier in Pontenano eingerichtet, eingewöhnt, hatte einige Bekanntschaften, vor allem jene mit Elio, und ich stellte mir vor, noch mindestens fünfzehn gute Jahre hier verleben zu können … Erst wenn schwere Krankheiten einen heimsuchten, wenn das Leben beschwerlich würde, so dachte ich, müßte ich mich ernsthaft mit dem Gedanken ans Sterben auseinandersetzen.«

Das Mädchen stellte einen Teller ab, frisch gebackene, mit Marmelade gefüllte Kipferln.

»Bist du ein gläubiger Mensch?« fragte Heinrich, und fuhr fort: »Wie du weißt, sind wir Rheinländer mehrheitlich katholisch getauft, aber in jungen Jahren hat mir das nichts bedeutet. Wenn man die überlieferte Lehre des Jesu ernst nimmt, dann hat natürlich die ganze Geschichte des Katholizismus, des Papsttums – bedenkt man nur die kriegerischen Welteroberungszüge, die Inquisition – etwas Groteskes. Wenn ich mich an meine Mutter erinnere, die im Jahreskreis der christlichen Feste und Gedenktage mit den Heiligen lebte, darin ihren großen und kleinen Halt und ihren Trost fand, ohne ihren Kindern etwas aufzuzwingen, so denke ich, daß damit bei den Menschen eine Imaginationskraft geweckt wurde, eine Vorstellungswelt neben der realen alltäglichen, so daß diese imaginierte Welt zu einer realen wurde, wie schon bei den alten Völkern mit ihrem Götter- und Dämonenglauben – welcher ja von der Katholischen Kirche mit einem unglaublichen Hochmut abgelehnt, sogar bekämpft worden ist …, während sie gegen schwachsinnige christliche Schwärmer gar nichts hat … Manchmal fragte ich mich, inwieweit die Gestalten und Wesenheiten der griechischen Mythologie in der Vorstellungswelt der Völker damals lebendig gewesen sein mögen. Von den Römern sagt man, daß sie im Mythos beheimatet gewesen sein sollen, auch die sogenannten einfachen Menschen. Vielleicht war es jedoch etwas, was wir mit dem Wort Brauchtum umschreiben … In wessen Kopf sind denn heute die vielen christlichen Heiligen und Märtyrer noch lebendig. Wieviele erkennt man auf Gemälden? Es sieht doch so aus, als gingen wir einer Mickey-Mouse-Welt entgegen. Die Idole der Gegenwart scheinen Schlagersänger, Filmschauspieler zu sein oder Fußballer, und die geistige Leistung besteht offensichtlich darin, alles über diese neuen Götter, über deren Liebesaffären und Exzesse zu wissen. Wer weiß, ob nicht eine Zeit kommen wird, in der mehr Menschen an die Wiederauferstehung von Elvis Presley oder James Dean oder neuerer Medienstars glauben werden als an jene Jesu Christi? Die Sehnsucht nach einem Messias im Judentum … Geht man von dem Bibelwort aus, daß es, sobald der wahre Messias einmal erscheine, keine Kriege mehr geben werde, dann ist natürlich auch Jesus nicht der wirkliche Messias gewesen … Die Juden haben das ohnehin nie geglaubt. Ich habe mich in jungen und mittleren Jahren,« erzählte Heinrich, »um religiöse Fragen kaum gekümmert, obwohl ich mir sagte, wenn ein so eminent gebildeter und kluger Mensch wie Petrarca sich der Kirche verbunden fühlte, so hat das – abgesehen davon, daß er ein Mensch seiner Zeit war, des ausgehenden Mittelalters – schon Gewicht. Aber ich schob es auf, mich damit zu beschäftigen. Niemand (von einer winzigen Minderheit unter den Priestern und Mönchen abgesehen) wäre wirklich bereit, nach den Lehren des Jesu zu leben, heutzutage weniger denn je. Das Ganze ist also meistens bloße Heuchelei, jedenfalls kein lebendiger Quell, der uns erfrischte, erhöbe ... Gott ist tot – hat Nietzsche gemeint. In diesem Satz scheint mir einer unserer religiösen Grundirrtümer zu liegen. Wie kommen wir bloß dazu, zu meinen, Gott ›lebe‹ im Sinne eines Lebens von Baum, Kamel oder Mensch auf diesem Planeten? Wie klein stellen wir uns Gott vor! Als könnte er unseresgleichen sein! Alles was seit zweitausend Jahren über Gott gelehrt und verbreitet worden ist, dachte ich manchmal, ist nichts anderes als eine Gotteslästerung ... Wie geringschätzig Gott gegenüber der Wahn, er ließe sich mit unseren Denkmöglichkeiten beweisen oder leugnen ... Überspitzt könnte man sagen: Wer über seinen Gottesglauben reden kann, hat streng genommen wohl keinen ... Die größten Geister haben sich, wenn sie ›Gott‹ dachten, nicht lösen können von diesen kindischen Vorstellungen. Vor vielen Jahren wollte ich mich mit Spinoza beschäftigen; mir schien, aus diesem Werk wehe ein anderer Wind. Lessing, wahrscheinlich der freieste Geist seiner Zeit, hat ihn studiert, auch Goethe. Doch dann bin ich nicht dazu gekommen, verschob es auf später ... Im Grunde sind sich viele Menschen darüber im klaren, daß der Tod endgültig ist: Würmer, Verfall, Verwandlung – in diesem Sinn vielleicht Unsterblichkeit – falls das Universum ewig weiter bestehen sollte. Wir Menschen haben uns in Vorstellungswelten geflüchtet vor dem Erschrecken, vor der Erkenntnis oder, besser gesagt, der Ahnung, daß dieses Universum und damit auch Gott uns radikal fremd ist und bleiben wird. Wahrscheinlich brauchen wir die Religionen, um das aushalten zu können ... Höchstens daß wir etwas erahnen könnten, erahnen, daß über unserem Bewußtsein etwas existiert, etwas Unvorstellbares ... Ja, ich glaube tatsächlich, der Mensch hat Antennen für etwas Un-Denkbares, Unaussprechliches, jenseits von Sprache und Logik, für etwas, das wir mit dem Begriff Metaphysik andeuten ... Vielleicht sind die physikalischen Erscheinungen, an die wir uns halten, gar nicht real ... Menschen mit fein entwickelter Psyche (die indischen Yogis zum Beispiel), sind eher imstande, mit ihren Sinnen etwas wahrzunehmen, was wir Übersinnlich nennen ... Gewisse Töne, deren Schwingungszahl nicht in die für das menschliche Gehör gesetzten Grenzen passen, können wir nicht hören, gewisse Spektralfarben nicht sehen ... Religionen, die ich ernst nehmen könnte, wären nicht die Brauchtumsreligionen der frommen Massen; aber die haben sich ohnehin längst anderen Opiaten zugewendet, um ein Wort von Nietzsche zu gebrauchen ... Vielleicht wünschte ich mir eine Religion, in deren Gottesdiensten gelacht wird ... Ohne die Devise *Laßt die Kindlein kommen,* hätte das Christentum wahrscheinlich niemals den Welterfolg erreicht: Vergebung für Sünden und Untaten, wenn man sie bloß einem Pfarrer beichtet und seinen Glauben beteuert.

Vielleicht könnten wir uns Gott besser durch Negation nähern: Was ist er nicht? Jedenfalls kein Ebenbild des Menschen, nicht der pater familias, keine Herrscherpersönlichkeit, kein gütiges, liebendes, richtendes, erlösendes Wesen ... Man meint, Gott sei unermeßlich größer als wir – vielleicht aber ist er unvorstellbar klein? Müßte nicht jede Generation versuchen, ihre Theologien und Mythen neu zu erschaffen, zu erdenken, anstatt die alten Geschichten wieder und wieder herunterzuleiern?«

»Die Maus«, sagte Stefan, »die ich vor einigen Wochen vor einer Natter zu retten versuchte, indem ich die Schlange hinter dem Kopf, dessen Maul die Maus schon erfaßt hatte, mit einem Stock niederdrückte; diese Maus, die ich am Schwanz packte und in eine Plastikwanne auf dem Stuhl legte, damit sie sich erhole, hat mich vielleicht als lebendes Wesen, vor allem aber als etwas Bedrohliches wahrgenommen. Der Versuch war unüberlegt, denn später, in der Nacht, wird die Schlange ihre verletzte Beute doch erwischt haben. Für diese Maus, liefe sie uns jetzt hier über den Weg, über diese Wurzel da, wäre es völlig unmöglich, zu begreifen, worüber wir uns gerade unterhalten. Goethes Werke wären für sie allenfalls etwas, um es anzuknabbern … In einer solchen Situation, so stelle ich mir vor, stehen wir dem Gedachten, das wir ›Gott‹ nennen, gegenüber … Alle beinah, die ich kenne, glauben mehr oder weniger an ein Jenseits, an ein Weiterleben nach dem Tod; manche sogar an ein Wiedersehen mit Verstorbenen, mit lang vermißten geliebten Seelen, die ihr früheres Bewußtsein im Jenseits, so der Glaube, behalten haben… Als könnte man in jener anderen Welt – die manche sich wahrscheinlich ähnlich der unseren vorstellen – ewig so weitermachen wie bisher … Im letzten Winter versuchte ich, auf die Spur meines Vaters zu kommen; die letzte Nachricht von ihm, das ist allerdings auch schon wieder mindestens fünf Jahre her, war aus einem St. Georgs-Kloster in der Südtürkei, an der syrischen Grenze gekommen. Manchmal in letzter Zeit habe ich versucht, mir vorzustellen, wie ein solches Leben abläuft; es ist wohl nur von einem tiefgläubigen Menschen auszuhalten. Schon lange nehme ich dem Vater nicht mehr übel, daß er uns verlassen hat, als ich elf Jahre alt war. Meine Mutter ist mit ihrem Herzleiden immer wieder monatelang bettlägerig gewesen …

Hättest du mich nicht hierher eingeladen, wäre ich vielleicht in die Türkei gereist … Ich stellte mir vor, wie es wäre, ihm im Refektorium des Klosters gegenüber zu stehen, er sehr gealtert, Vollbart, und wir hätten uns nichts zu sagen …«

Heinrich nahm die Karte wieder in die Hand. »So alt wie der Greis da bei Giorgione, fühle ich mich meistens noch nicht, aber trotzdem beschäftigt mich manchmal die Frage, was nach dem Tod mit mir geschehen mag. Kennst du die Erzählung *Selina* von Jean Paul?« Stefan schüttelte den Kopf. »Ein sehr merkwürdiger Text. Jean Paul hat sich schon viele Jahre davor in der Schrift *Das Kampaner Tal* mit dem Thema Tod und Unsterblichkeit beschäftigt. Nachdem er ihn veröffentlich hatte, war er unzufrieden damit, begann mit umfangreichen Notizen zu einer Neufassung. Nach dem plötzlichen Tod seines Sohnes, und nach der Fertigstellung des Romans *Der Komet* begann er mit der *Selina*. Ein seltsamer Text … Wenn es aber in unserer Literatur einen Autor gegeben hat, der – wie ich vorhin andeutete – Antennen für etwas Übersinnliches besaß, dann weiß ich für mich keinen größeren zu nennen als Hölderlin; es gibt da im *Hyperion* und mehr noch im *Fragment des Hyperion* Abschnitte, die darauf hinweisen;

auch in einigen der späten Dichtungen. Wenn wir nachher hineingehen, schauen wir, ob wir die *Selina* unter den Büchern finden; wenn du sie lesen willst, nimm sie mit und sag mir nach der Lektüre gelegentlich, was du davon hältst.«

Der Bischof komme aus Arezzo, hatte Cristina gesagt, und abends gebe es ein Fest. Stefan wunderte sich: »Bei uns zuhause wird, soviel ich weiß, nur zu Pfingsten gefirmt.« Ob es damit zu tun habe, daß in die Dörfer hier nur selten ein Bischof komme?

Nach dem nächtlichen Regen lagen in der Früh, als er die Haustür aufmachte, die Terrassen unterhalb des Hauses im Nebel, der vom Talgrund heraufzog; Dunstschleier stiegen in die Höhe, schlangen sich umeinander, lösten sich auf. Aus dem Hahn des Hausbrunnens floß nur ein dünnes Rinnsal. An diesem Tag hatte er keine Lust, weiter Wasserschläuche einzugraben. Die Gräser waren naß, daher traute er sich ohne Stiefel mit zwei Eimern zur Quelle, um Wasser zum Geschirrspülen zu holen. Auf einmal war er völlig vom Nebel eingeschlossen; einige Amselrufe von ferne waren die einzige Verbindung zur Außenwelt. Am Vormittag verzogen sich die Nebel, die Sonne löste die Dunstschleier auf.

Am Nachmittag gegen halb sechs, längst war es wieder trocken geworden, spazierte er los. Als er das Dorf erreichte, über den von Brombeerranken überwachsenen Pfad hinten hinauf, vorbei an Antonio Ferrettis verwahrlostem Hühnerstall, standen auf der Piazza nur einige wenige alte Männer beisammen, trugen Sonntagskleider, schienen aber gar nicht festlich gestimmt, erwiderten kaum seinen Gruß. Mario war nicht zuhause, auch nicht auf der Baustelle außerhalb von Gello. *In paese,* sagte Lena, die er unter anderen Mädchen, alle in weißen Kleidchen, auf dem Kirchvorplatz traf. Ihm schwante jetzt, daß Mario ihm vielleicht entgegen gegangen war und sie sich verfehlt hatten; oft kürzte er den Weg durch die Büsche ab. Er kehrte um, beschloß, den Abend auf dem Stuhl vor dem Haus zu verbringen, aber im Friedhofsgeviert fand er Mario mit seinem Schwager Vittorio, im Vorbeigehen hatte er ihre Stimmen gehört. Sie hockten an der schattigen Innenmauer. Es war immer noch so heiß, daß er kaum atmen konnte, obwohl die Sonne gleich den Umriß der Hügelkuppe entzünden würde. Sie hätten zuviel vom Vino Santo getrunken, sagte Mario. Den Vino Santo hätten sie getrunken, weil die Kuchen so trocken gewesen seien. Jede der Hausfrauen von Gello habe einen gebakken. Er hatte den langen geschmückten Tisch auf dem Platz vor der Kirche oben gesehen. Nein, *normalen* Wein gebe es erst am Abend. Er konnte sich denken, wie sarkastisch Vittorio sich darüber äußerte, daß Mario seine Tochter firmen ließ, und wie Mario wahrscheinlich konterte, Eva laufe in Arezzo jeden Tag in die Frühmesse. Er wünschte beinah, er wäre nicht nach Gello gekommen, hätte den Abend und die hereinbrechende Nacht wie in den letzten Tagen auf seinem Stuhl an der Hausmauer verbracht. Bloß daß sich jetzt der Hunger verstärkte. In Erwartung eines angekündigten Festmahls hatte er mittags bloß Brot und ein paar Tomatenscheiben mit Öl und Zitronensaft gegessen.

Als er gegen halbzwölf heimwärts wanderte, tat es ihm

immer noch leid um den Abend, obwohl es während des Essens in der *cantina* des Dorfes, die nur zu solchen Gelegenheiten aufgesperrt wurde, zuletzt noch fröhlich und laut geworden war. Der hagere Bischof hatte sich neben ihn gesetzt, seine Hand ergriffen und ewig nicht mehr losgelassen, hatte ihm von seinen Reisen nach Bamberg und Würzburg erzählt; je länger er sprach, desto besser wurde sein Deutsch. Stefan hatte bemerkt, wie Vittorio herüberfeixte. Man hatte ihm zugeprostet und ihn gefragt, was die Wildschweine machten, ob sie seine Zucchini schon aufgefressen hätten, und allmählich hatte er sich als dazugehörig empfunden. Eine quirlige Blondine hatte über den Tisch herübergefragt, ob er sich nicht fürchte, nachts am Friedhof vorbeizugehen. Nach der Hauptspeise hatte sie mit ihrem Haarreifen auf die Tischplatte geklopft: »Dol-ce, dol-ce …!«

Es war sehr dunkel auf dem Heimweg, der Mond noch hinter dem Osthügel, und als er einmal vom Weg abkam – er hatte im Gehen die Krone der riesige Pinie am Ortsausgang betrachtet, wie sie sich vom Nachthimmel abhob, wäre dabei beinahe den steilen Hain hinuntergestürzt – bereute er, Marios Taschenlampe, die dieser ihm angeboten hatte, nicht genommen zu haben.

Später, im Bett, schreckte ihn ein lautes Geräusch wach. War in der Dämmerung wieder einmal eine Fledermaus hereingeflogen? Er hatte, um genug Luft zu bekommen, bevor er sich niederlegte alle Läden geöffnet. Er stand auf, um sie hinauszuscheuchen, sonst würde er nicht mehr zum Schlafen kommen. Mit der Taschenlampe suchte er die Deckenbalken aller Räume ab und erblickte die Fledermaus im vorderen Zimmer, hoch oben, zwischen Balken und Gemäuer: Sie hatte sich schmal gemacht und in den Spalt gezwängt. Ihre Augen sahen ihn erschreckt an, als er hinaufleuchtete. Ob sie sich verletzt hatte? Er öffnete die Läden und Fenster und klopfte mit dem Besenstiel gegen die Balken, aber sie blieb in ihrem Schlupfwinkel. Beim Schließen der Läden sah er, wie das schwache Mondlicht die Wiese in ein märchenhaftes Dämmerblau tauchte. Gähnend öffnete er den Riegel und stieg die Stufen hinunter. Draußen war es frisch; nur da und dort zirpte eine Grille. An der Hausmauer stand der Stuhl; er erinnerte sich, daß er den gestrigen Abend versäumt hatte. Am schwarzblauen Gegenhang drüben außerhalb von Gello sah er ein schwaches Licht blinken. Es mußte das Gehöft von Bindi sein; am Tag war der hinter einem Olivenhain verborgene kleine Hof unsichtbar. Er holte sich eine Decke und setzte sich auf den Stuhl. Schon freute er sich auf den nächsten Abend, auf die im Tiefflug ums Haus flitzenden Schwalben.

Auf dem nächtlichen Heimweg hatte er sich überlegt: Wie viele Menschen kennst du, mit denen du hier sitzen könntest, ohne daß es die Stimmung störte? Ob er es jemals satt bekäme, hier zu verweilen, den Wechsel des Lichts, der Färbungen, der Geräusche zu erleben? Je länger er abends auf den Höhenzug bei Gello schaute – seine Abhänge waren bebaut, kultiviert, während die beiden halbkugelförmigen Hügel davor dicht bewaldet waren –, desto mehr überraschte er ihn immer wieder mit Niegesehenem. Die terrassenförmig angelegten schmalen Äcker und Olivenhaine, die Eichen und Kastanien, die Weinberge. Am liebsten schaute er auf die Olivenbäume direkt vor ihm. Ihre knorrige Gestalt, ihr eigenwillig ausgestrecktes verwinkeltes Geäst – sie schienen sich mitzuteilen. Wenn er sie lange genug betrachtete, und nichts mehr dachte, schien er manchmal für einen Augenblick ihr Wesen zu verstehen; in Worte hätte er, was sie ausdrückten, nicht übersetzen können. Abends schimmerten ihre zerfurchten, schief gewachsenen Stämme in einem silbrigen Graublau. Nie wurde er müde, sie anzuschauen, wie sich ihre Erscheinung wandelte, bis sie sich völlig in der Schwärze der Landschaft auflösten und nur noch das zarte junge Geäst ihrer Kronen, das über die schwarze Masse der Hügel hinausragte, gegen den etwas helleren Nachthimmel sichtbar war, fein wie Spinnweben.

Im Osten sah er einen hellen Schimmer über der Kuppe des Hügels. Ein Käuzchen schrie hinter dem Haus. Seltsam, wie er sich im Laufe der Zeit doch an alle die Geräusche gewöhnt hatte und sich nicht mehr wie in den ersten Nächten ängstigte, wenn es auf dem Dach scharrte und Ziegel klapperten, wenn ein Tier unter dem Fenster des Schlafzimmers durchs knackende Buschwerk preschte oder eine Maus in der Küche in einem Müllsack, den er am Dachbalken aufzuhängen vergessen hatte, herumraschelte. Das Licht bei Bindi war erloschen. Plötzlich erschreckte ihn die Vorstellung, daß es in Gello keine Menschen mehr gebe, auch nicht hinter den Hügeln und Bergen. Daß er der einzige Mensch sei auf der Welt. Daß keiner mehr da sei, dem er sich mitteilen könnte. So sehr er die Landschaft mochte, sich in Momenten des selbstvergessenen Schauens nicht mehr als ein Gegenüber empfand, sie genügte ihm nicht zum Leben. Er als der letzte Mensch auf der Erde – es schüttelte ihn vor Entsetzen. Er stand auf, schlug die Decke enger um sich und ging vor dem Haus auf und ab, holte dann Bleistift und Notizbuch, um seine Eindrücke aufzuschreiben. Aber den Schauder von vorhin konnte er jetzt nicht mehr nachvollziehen; er war sich wieder sicher, daß es Menschen gab hinter den Hügeln. Seltsam, dachte er, als er wieder saß, er hatte nicht an Monika gedacht, sondern an Mario und Nardo Marini, um mit ihnen übers Wetter oder anstehende Renovierungsarbeiten am Haus zu reden. Auch wenn er die Schutzmantelmadonna von Piero oder die Sieneser Meister für sich allein hätte oder sogar die ganze Altstadt von Perugia, samt der *Fontana Maggiore,* er könnte sich daran nicht erfreuen, wenn er sein Erleben nicht mit jemandem teilen konnte.

Die Silhouetten der Bäume hoben sich immer deutlicher ab von dem heller werdenden Hintergrund. Von der Paßstraße war durch den Wald herüber das Geräusch eines sich hochquälenden Dreiradtransporters zu hören. Es wird wieder Morgen werden, die Sonne wird erscheinen, und es sind Menschen auf der Welt.

Ihn fröstelte, er stieg die Stufen hinauf. Wenigstens schien die kühle Luft die Mücken daran gehindert zu haben, ihn zu umsummen und zu stechen. Er trug den Stuhl ein Stück in die Wiese, drehte ihn herum, wendete sich der Hausfront zu. Ein Lichtstreif in der Verlängerung der linken Hauskante machte ihn stutzig. Er stand auf und ging schauen. Es war der Mond, der jetzt auf der südöstlichen Seite am Rande der Hügelkuppe schien; er strich mit der Hand über die in warmes Licht getauchte Hausmauer, sie fühlte sich warm an – wenigstens kam es ihm so vor.

Waren das Schritte vor dem Haus? Er stützte sich im Bett auf und lauschte. Hatte er den Riegel vorgeschoben? Jetzt zeigte auch ein Blick aus dem Fensterwinkel schon, daß es hell wurde; der Himmel färbte sich am Horizont über den Hügeln weiß, nur oben am Firmament war er schwarzblau, und einzelne Sterne blinkten noch. Halb fünf vorbei. Ob er noch einmal einschlafen konnte? Die ersten Nächte in Mora: Wenn er manchmal mitten in der Nacht wach geworden war, den Geräuschen draußen nachgelauscht hatte – wie hatte er den Morgen herbeigesehnt! Welch eine Freude, wenn später blendendes Sonnenlicht hereinflutete und die Erinnerung an beängstigende Eindrücke und Vorstellungen verscheuchte, als hätte es sie nie gegeben.

Mario kam ihm auf seiner Haustreppe entgegen, fragte ihn, ob er telefonieren wolle und ob er das später erledigen könne. Vittorio sei gestern abend mit dem Wagen seines Freundes Giorgio in den Bach gestürzt, in der Kurve am Ortsausgang. Giorgio habe den Fiat gelenkt. Die beiden hätten vorher in Gello mit Mario in dessen Weinkeller einige sehr alte Flaschen geöffnet und verkostet; Vittorio habe bezweifelt, daß diese Weine noch trinkbar seien. Es sei nichts Schlimmes passiert, aber Vittorio liege im Krankenhaus, er, Mario, habe ihn gerade besucht. Vittorio vermisse seine Brieftasche. »Steigen wir hinunter und schauen in den Fiat«, sagte er, »er liegt auf dem Dach.« Sie nahmen die Abkürzung hinter dem Haus der Ferrettis, kletterten den Abhang hinunter. Stefan erinnerte sich, wie Mario ihm im letzten Jahr seinen Weinkeller gezeigt hatte. Vor sechs oder sieben Jahren hatte er bei einer Auktion hundert Flaschen bester toskanischer Weine um einen Spottpreis ersteigert, in der Hoffnung, damit ein gutes Geschäft zu machen. Aber er hatte nur wenige Flaschen verkaufen können, und mittlerweile begannen die Weine untrinkbar zu werden; von den drei Flaschen Brunello di Montalcino, Jahrgang 1959, die Mario ihm im letzten Sommer zum Abschied mitgegeben hatte, war nur noch eine genießbar gewesen. Während sie durch die Zypressen-Allee gingen, in die kein Sonnenstrahl drang, sagte Mario, er mache sich Sorgen wegen Gianni, der im September eine Nachprüfung ablegen müsse; er fürchte, Gianni werde nicht aufsteigen. Ihm fiel ein, wie Mario und Vittorio voriges Jahr Lachanfälle bekamen, als Stefan auf diesem Weg auf die Müllsäcke gedeutet hatte, die einige Dorfbewohner oder Durchfahrende einfach den steilen Abhang hinuntergeworfen hatten, wo sie im Strauchwerk hängen blieben. Er hatte das Wort für Abfall (spazzatura) mit dem für Zahnbürste (spazzolino) verwechselt. Sie kamen hinaus ins Helle, der Weg stieg steil an, grober Schotter, gleich in der ersten Rechtskurve zeigte Mario den Abhang hinunter, hier sei es passiert. Geknickte Sträucher, die Rinden der dünnen Bäume aufgeschürft. Stefan sagte, auch er fürchte sich manchmal, wenn er einkaufen fahre, vor diesen beiden Kurven, dem steilen Gelände, er nehme das Steilstück im ersten Gang, mit dem Fuß auf der Bremse. Vittorio habe vor der Heimfahrt nach Arezzo noch kurz zum Friedhof schauen wollen, sagte Mario. Giorgio, einem Arbeitskollegen von Vittorio, sei nichts passiert. Sie kletterten und rutschten, dem Strauchwerk ausweichend, den gerölligen Hang hinunter und fanden den Wagen mit aufgespreizten Türen auf dem Dach liegend im beinahe ausgetrockneten Bach. Das Bachbett gesäumt von Müll, halb aufgelöste Wasserflaschen aus Plastik, Ölflaschen, Dosen, Kosmetiktuben ... Mario kroch ins Innere des Fiat, fand jedoch nichts, sie suchten die Umgebung ab, stocherten mit Zweigen im Müll. Stefan konnte sich nicht mehr vorstellen, daß am Unterlauf des Orenaccio, unterhalb von Mora, tatsächlich, wie die Leute von Gello sagten, Forellen zu fangen seien.

Später, im Haus von Mario, rief er in Pontenano an. Heinrich klagte, er leide unter der Hitze, vor allem nachts. Selina komme am Sonntag, ob Stefan sie vom Bahnhof abholen werde, Alessandros Wagen sei in Reparatur. Erich, ihr Mann, würde dann eine Woche später mit dem Auto nachkommen.

Auf der Bank sitzend, fiel ihm der alte Saverio ein, dessen Frau im Winter gestorben war, der von seinen Söhnen, die in Rom lebten, im Altersheim von Fibocchi untergebracht worden war; wie er alle zwei drei Tage den Schwestern entwischte und nach Gello heraufwanderte, einmal in Bademantel und Pantoffeln, und sich auf die Bank vor Marios Haus setzte, bis Fortunata telefonierte und nach einer halben Stunde der Wagen des Altersheims erschien.

Am Morgen spannte er eine Wäscheleine zwischen der jungen Eiche und dem nächststehenden Olivenbaum, um das Bettzeug aufzuhängen und zu lüften. Er trug alles vors Haus, schüttelte das Leintuch und die Decken aus. Während er mit dem Aufhängen anfing, sah er, daß eine Unmenge von Ameisen auf der Leine von der Eiche zur Olive krabbelten. Ohne Erfolg hatte er in der Woche zuvor versucht, sie mittels gezuckertem Kaffeesatz, wie Cristina ihm geraten hatte, zu eliminieren, da sie sich zu Hunderten auf der schrundigen Eiche tummelten und unter die Rinde eindrangen. Von der Straße her, durch die Bäume, hörte er ein Motorrad; als es um die letzte Kurve vor dem Parkplatz kam, erkannte er, daß es Antonio mit seiner uralten Moto-Guzzi war. Er holperte herunter zum Haus, gemächlich wie ein Traktor auf Standgas tuckerte der Einzylindermotor, mit rudernden Beinen fuhr er auf die Wiese, blieb auf der Maschine sitzen. Am Freitag nach dem Frühstück müsse er nach La Verna, ob Stefan mitkommen wolle. Wenn er um halb acht käme, könnte er auch mit ihnen frühstücken. Kürzlich hatte Stefan sich die Strecke auf der Landkarte angeschaut: Man fuhr über Talla und Rassina bis Bibbiena, dort zweigte die Straße in die Berge ab. Es schien nicht weit von Caprese Michelangelo entfernt zu sein; er überlegte, Antonio zu fragen, ob sie auf der Rückfahrt über Caprese fahren könnten.

Am Nachmittag hatte er keine Lust, den kleinen Stall unter der Küche, den er am Tag zuvor ausgeräumt hatte, mit Kalk auszumalen, die Löcher in der Steinmauer mit Kalk anzuwerfen. Er nahm sich den Pratolini mit hinaus und setzte sich an die schattige Hausmauer, war aber bald zu müde zum Lesen. Plötzlich sah er die wilde Katze vor sich, die an den Abenden schon einige Male ums Haus geschlichen war. Sie beobachtete ihn aus sicherer Entfernung aufmerksam. Auf sein leises, lockendes Miau-Winseln reagierte sie nicht. Einmal letzte Woche hatte er sie in der Dämmerung vom Fenster des Schlafzimmers aus gesehen. Er hatte den Schinken ausgepackt, einige Stücke klein geschnitten und sich ihr mit dem Tellerchen genähert; mit einem Satz war sie in die Büsche gefegt. Als er vom Fenster aus den Teller fixierte, sah er sie langsam geduckt näherschleichen; sie streckte den Hals, witterte, schnappte nach einem Stückchen und sprang damit ins hohe Gras. Jeden Abend hatte er dann Essensreste auf dem Teller hinterlassen, sie erschien aber bloß alle zwei, drei Abende, und seine Hoffnung, nach und nach würde sie ihre Scheu verlieren, erfüllte sich nicht.

Ein Schuß im Wald ließ ihn – er lag noch im Bett – an die Jagdgesellschaft im September des Vorjahrs denken. Das Echo rollte hinterher. Plötzlich fiel ihm ein, daß es der erste Samstag im August war, an dem auf der Piazza in Arezzo der Antiquitäten-Markt stattfand; zweimal schon hatte er diesen Tag übersehen. Er überlegte, auch die einige Kilometer außerhalb liegende Kirche Santa Maria delle Grazie zu besichtigen, die auf dem Blatt eines alten Kalenders abgebildet war, im Flur bei Vittorio: ein flacher, antik anmutender Bau der Frührenaissance, errichtet über einem alten Quellen-Heiligtum, wie er im Reiseführer las, mit einem zierlichen Portikus vor dem Eingang.

Gegen zehn Uhr betrat er vom Corso die Piazza Grande, die ihm, verglich man sie mit Plätzen anderer Städte – etwa der Piazza Grande von Siena – immer klein vorgekommen war. Jetzt war sie vollgeräumt. So weit er sehen konnte, überall Kommoden, Schränke, Tische, Sofas, Stühle; fast alles Mobiliar war schwarz oder dunkelbraun lackiert. Er begann einen Rundgang durch die Schneisen, in denen die Leute sich drängten. Die Apsis der Pieve di Santa Maria, die den Platz im Nordosten begrenzte, stand, wie der Palast der Dominikaner, im Licht der Sonne; die Gebäude auf der Seite des Corso lagen im düsteren Schatten. Auf einmal – er blätterte in bräunlichen alten Stichen, die neben Brillen, Pfeifen, Kaffeetassen und Silber-Besteck auf einem Tisch lagen – fühlte er eine Hand auf seinem Oberarm. »Bello, eh?!« Es war Loretta, die in einem geblümten gelben Kleid hübsch aussah. Sie war allein, in einer Hand trug sie einen schweren Plastiksack mit Gemüse. Sie fragte Stefan, ob er etwas Bestimmtes suche. Nein, bloß einmal schauen, er sei noch nie da gewesen. Einen bequemen Stuhl oder auch zwei könnte er brauchen, aber Mario habe sich vorige Woche den Dachträger ausgeliehen für einen Bretter-Transport und nicht zurückgebracht. Sie sagte, sie sei auch bloß zum Schauen gekommen, wie immer; sie habe zwei Stühle gesehen, die ihr sehr gefielen, er solle mitkommen. Als sie den Stand erreichten, saß der Besitzer oder Verkäufer auf einem dieser breiten alten Stühle und las eine Zeitung. Stefan probierte den zweiten und war überrascht, wie gut er darauf saß; der Lederüberzug des Kissens war etwas rissig. Er stellte sich vor, auf diesem Stuhl abends vor dem Haus zu sitzen. Zwanzigtausend, das sei nicht teuer, meinte Loretta. Soviel hätte er dabei, sagte er zu ihr, aber der Transport? Im Fond würde er nicht einmal einen der Stühle unterbringen. Der Verkäufer erhob sich, die Stühle seien nur zusammen zu haben. Ihr Renault sei mit Dachträger ausgestattet, sagte Loretta, es sei ein kleines Auto, aber groß genug. Er solle dem Verkäufer einmal sechzehntausend anbieten. Die Vorstellung, endlich einen bequemen Abendstuhl zu haben, ließ ihn ja sagen. Loretta schlug vor, ihren Wagen vom Corso hereinzufahren auf die Piazza, soweit wie möglich. Es würde eine Weile dauern, ihr Wagen stehe auf dem Parkplatz vor dem Bahnhof; er könnte sich

noch umschauen hier und dann die Stühle zur Bar bringen. Er sah, wie drei Männer ähnliche Stühle durch eine
der Schneisen des vollgestellten Platzes trugen, zuerst sah
er nur die vorüberschwebenden Stuhlbeine.

Sie fragte Stefan noch, ob er mit ihr irgendwo zu Mittag essen wolle. Sie habe einen freien Tag, Enzo verbringe
das Wochenende bei einem Freund in Laterina, am nächsten Tag nachmittag erst werde sie ihn wieder abholen. Es
gebe eine sehr gute Taverne in Bibbiena. »Wir können
über Talla heimfahren«, sagte sie, »oder hast du keine
Zeit?« Er sagte, er müsse bloß noch etwas einkaufen für
den nächsten Tag, aber das könne er dann ja auch in Bibbiena erledigen. Ihre Tante Anna lebe allein in Bibbiena,
sagte sie, die würde sie gerne für fünf Minuten besuchen;
Anna wolle ihr ein paar Blumentöpfe mitgeben, die sie
übrig habe. Inzwischen könne er einkaufen, er könne aber
gerne auch mitkommen. Einmal mußte er lachen, wie er
nach der Stadtgrenze, hinter ihr herfahrend, auf die beiden auf dem Dach festgezurrten Stühle schaute.

Als sie – er im Simca voraus – den Hohlweg nach Mora
im Schrittempo hinunterruckelten, war es halb sechs. Immer wieder hatte Loretta in Bibbiena gefragt, ob sie heimfahren müßten, und er hatte den Kopf geschüttelt. Ihm
gefiel es, die schwarze Katze auf dem Schoß, auf der von
Blumen umgrenzten Terrasse der Signora Anna, die vor
vielen Jahren nach dem Tod ihres Mannes in ein Kloster
eingetreten war, es dort jedoch nicht ausgehalten hatte.
Zwei Stunden war er dann mit Loretta beim Essen gesessen und hatte mehrmals gesagt: »Das war die beste Lasagne meines Lebens!« Während des Essens hatte sie an-

gefangen von ihrem Mann zu erzählen, der in Gello auf die Welt gekommen sei. »Er ist ein Autonarr«, sagte sie, »kein schlechter Mensch, aber als er in der Bank in Arezzo immer höher rückte, konnte er wohl irgendwann nicht mehr widerstehen, er wollte einen BMW fahren« (Bi-Emme-Wu sprach sie es aus). »Kennengelernt haben wir uns bei einer Hochzeit in Rassina.« Am liebsten würde sie mit Enzo nach Bibbiena ziehen und sich eine Arbeit suchen. Bevor sie nach Gello gekommen sei … »Hast du unser Haus neben der Kirche gesehen? Du solltest die Räume sehen«, seufzte sie. Tommaso habe immer bloß Autos im Kopf … Vorher habe sie in Arezzo in einem Büro gearbeitet und eine schöne kleine Wohnung gehabt …

Da passiert jetzt etwas, das sehr schön ist, dachte er, während er sich leicht vom Stuhl erhob und ihn wieder ein Stück näher zu ihr rückte, was mit dem Weinglas in der Hand schwierig war. Etwas geschah, das nicht mehr aufzuhalten war. Loretta tat es ihm gleich, aber sie reichte ihm vorher ihr Glas. Bald würde er die Beine spreizen müssen, um ihr noch näher zu kommen, um Platz zu schaffen für Loretta und ihren Stuhl. Wenn uns jemand sehen würde, dachte er. Es dämmerte. Zum Essen hatten sie in Bibbiena eine halbe Flasche Roten bestellt, dann aber die ganze Flasche getrunken, und nun war auch diese Flasche leer; aber unmöglich durfte er sie jetzt fünf Minuten allein lassen, und beide hatten sie ja noch zwei Fingerbreit Wein im Glas. Dann war es soweit, Stuhl stand an Stuhl, sie hatte ihre Schenkel gespreizt und sie ihm auf seine gelegt, und jetzt küßten sie sich, und kein Gekicher und kein Lachen wäre jetzt mehr zu hören gewesen, falls oben auf der Straße jemand vorbeigegangen wäre. Er streichelte ihre Wange: »Du gefällst mir … sei molto … eccitante«, er nahm ihre Hand und legte sie an sein Herz: »Senti …« – »Caro …« flüsterte sie und stellte ihre Füße auf die Erde, »du hast mir noch gar nicht dein Haus gezeigt, hast du auch ein Bett?« – »Gern zeig ich dir mein Bett«, sagte er, »mein schmales Bett«, und sah im Aufstehen die beiden Autos in der Zufahrt stehen und auf der Windschutzscheibe seines Simca sich irgendetwas widerspiegeln. Hoffentlich, dachte er, während sie sich vor der Treppe umarmten und küßten und seine Hände ihre Hüften preßten, kommen an diesem Tag die Männer aus Gello nicht, und überlegte flüchtig, Lorettas Auto verkehrt auf die gemähte Terrasse, auf der sich der Abort befand, zu fahren, damit niemand es sähe. Als sie ins Haus getreten waren, schloß er die Türen und verriegelte sie.

»Willst du ein Licht?«, fragte er, »soll ich eine Kerze anzünden?« Sie murmelte etwas Unverständliches; er schloß das Fenster auf der Vorderseite und zog sie in das etwas hellere westseitige Zimmer.

Drei Jeeps mit Männern in Jagd-Klamotten kamen ihm beim Friedhof entgegen, er drückte sich an die Mauer. Pünktlich um halb acht klopfte er an die Haustür der Ferrettis. Auf dem Tisch war nichts von einem Frühstück zu sehen. Er erinnerte sich, daß viele Toskaner in der Früh bloß Kaffee trinken, vielleicht eine Mehlspeise essen, meistens in Kunststoff eingeschweißte Portionen aus dem Supermarkt. Antonio sei im Weinkeller, er komme gleich. Cristina füllte Wasser in den Espressokocher – der sei das Simpelste und Beste zum Kaffeekochen, hörte er immer wieder –, schaltete den Gasherd ein. Während sie Kaffee tranken, erzählte Antonio von Marios Zeit als Straßenarbeiter in Frankfurt. Mario rede kaum darüber, er habe es bloß ein Jahr ausgehalten und seine Frau habe mit den beiden Kleinkindern sehr gelitten unter dem Alleinsein.

Sie fuhren nicht, wie er gemeint hatte, über den Paß La Crocina nach Talla und dann weiter nach Rassina. Antonio erklärte, er müsse zuerst nach Arezzo fahren und tanken. Um soviel billiger kann es doch nirgends sein, dachte Stefan, daß der Umweg sich lohnte. Als Antonio dann an der Peripherie von Arezzo, im Industriegebiet, in den Hof einer Fabrik fuhr, sich dort an der Betriebstankstelle den Tank füllen ließ und dem alten, unrasierten Mann etwas in die Hand drückte, verstand er. Nun fuhren sie durch das

Casentino, den Arno entlang nach Bibbiena. Plötzlich steigerte Antonio die Geschwindigkeit, um zehn Uhr sei die Messe. Er fragte, ob Stefan zur Kommunion gehe, berührte vorgebeugt mit seinem Kopf beinah die Windschutzscheibe, fuhr mit dem klapprigen Fiat-Ritmo viel zu schnell durch die Kurven, Stefan fing an sich zu fürchten. Dann fragte er, ob Stefan am 17. September noch da sein werde. An diesem Tag werde in La Verna eine spezielle Messe zu Ehren des Heiligen Franz gefeiert. Der 17. September sei ein hoher Feiertag; wer an diesem Tag sterbe, komme direkt ins Paradies, ohne den Umweg übers Fegefeuer. Sie umfuhren Bibbiena. Zu gern wäre er ausgestiegen, herumgegangen, hätte in einer Bar noch einmal gefrühstückt. Jedenfalls war er froh, als jetzt eine kurvenreiche, stellenweise steile Bergstraße begann und Antonio das Tempo drosseln mußte; nach ein paar Kilometern jedoch wurde ihm übel. Als er ihn gerade bitten wollte, anzuhalten, er müsse austreten, sah er das Ortsschild. Aber er hatte sich getäuscht; auf dem Schild an der Ortsausfahrt stand Chiusi della Verna. Es schien ein gepflegter Ort zu sein. »Ein Kurort«, sagte Antonio. »Jetzt ist es nicht mehr weit.«

Von der riesigen Klosteranlage war er zuerst enttäuscht; die rustikalen Gebäude schienen aus dem 19. Jahrhundert zu stammen; es sah so aus, als wären sie kürzlich erst renoviert worden. Die im 16. Jahrhundert erbaute Basilika wirkte steril. Antonio eilte hinein zu den Beichtstühlen, winkte Stefan, ihm zu folgen. Vor dem ersten Kasten hielt Antonio an, fixierte Stefan. Er ergab sich und öffnete die Tür des dritten. Er versuchte durch das Gitter zu sprechen. Der Priester schien ihn nicht zu verstehen; verwirrt brachte Stefan bald gar nichts mehr heraus und hoffte, der Priester würde es gut sein lassen. Aber in herrischem Ton sagte der Pfarrer, er werde einen Pater holen, der Deutsch spreche, er möge warten. Dieser Pater verstand ihn jedoch ebensowenig. Stefan entschuldigte sich und flüchtete, hoffte, Antonio habe ihn aus den Augen verloren. Die Kirche füllte sich immer mehr mit Menschen. Plötzlich tätschelte Antonio in dem Gewühle seine Schulter, als wollte er sagen: Gut gemacht. Sitzplatz fanden sie keinen mehr. Stefan fielen Majolika-Reliefs auf, an der Mauer, an der er stand und an die er sich zeitweise anlehnte; er kannte sie von Abbildungen in Kunstbänden, der Name des Künstlers fiel ihm nicht ein. Obwohl sie ein wenig kitschig aussahen, waren sie von hoher Kunstfertigkeit. Der Hintergrund der Tafeln war in einem satten Blau gehalten, die Figuren darauf waren meist elfenbeinfarben. (Beim Hinausgehen dann las er auf einer Tafel neben dem Tor, es seien Werke von Andrea und Luca della Robbia.) Während der Messe durchquerte eine Prozession von Patres das Kirchenschiff. Antonio stieß ihn an, machte ihn auf einen jungen, sehr sympathisch wirkenden Mönch aufmerksam. Das sei Francesco aus Florenz, flüsterte er, ein entfernter Verwandter von Cristina. Als Antonio wie alle anderen vorging zum Altar, zur Kommunion, schloß Stefan sich ihm an.

Während sie im Pilgerspeisesaal auf die Suppe warteten – Stefan hatte bereits das ganze Brot im Korb aufgegessen – erklärte ihm Antonio, Francesco, der junge Pater, sei in Bologna beim Militär gewesen, als der fürchterliche

Terroranschlag sich ereignete, er sei als Helfer eingesetzt gewesen beim Bergen der Toten und Verwundeten. Unter dem Eindruck dieses Geschehens habe er nach dem Militärdienst nicht die Getränkefirma seines Onkels in Prato übernommen, sondern sei ins Kloster San Marco in Florenz eingetreten. Als sie Francesco nach dem Essen im Foyer, wo sie einen Espresso tranken, trafen, einen freundlichen jungen Mann in der Kutte der Franziskaner, als er Stefan die Hand gab, ihn mit fröhlichem Gesicht anlächelte, konnte er seine Rührung kaum verbergen. Auch ging ihm Loretta den ganzen Tag nicht aus dem Sinn.

Antonio zeigte ihm die Felsenhöhle, wo der Heilige Franz während seines Aufenthalts in La Verna geschlafen habe, eine Steinplatte knapp unterhalb eines mächtigen, überhängenden Felsblocks, der Stefan ängstigte. Er war froh, als er wieder im Freien war. Um den felsigen Hügel direkt am Abhang führte eine schmale Steintreppe herum. Der Blick hinunter zuerst ins Bodenlose, dann ins Weite, ins Casentino. Später spazierten sie im angrenzenden Wald. Stefan rechnete sich gerade aus, wann sie zuhause sein könnten, überlegte auch, am Nachmittag noch einkaufen zu fahren, da sagte Antonio plötzlich, sie müßten jetzt bis vier Uhr warten, er habe eine Besprechung mit dem Pater Guardian. »Die wollen wieder Geld von mir«, sagte er grinsend und rieb sich mit der Faust seine unrasierte Wange. Enttäuscht rechnete Stefan sich aus, daß er erst in der Dämmerung heimkommen werde; jetzt fing es auch noch an zu regnen. Antonio schlug vor, sich ins Auto zu setzen.

Um die Kluft in der Hausmauer neben dem Eingang zur Werkstatt, die sich seit dem letzten Jahr verbreitert hatte, auszufüllen und zu verputzen, kaufte er in dem Eisenwarenladen in San Giustino zwei Kilo Zement und ein Kilo feinen Sand. Wahrscheinlich, dachte er, war der Riß durch ein leichtes Erdbeben entstanden. Nachher jätete er wieder Gras und Kräuter an der nördlichen Eingangsseite. An der Hauskante beobachtete er eine Hummel, die die Mauer hinaufkrabbelte. Sie schien verletzt, kam höchstens drei Meter weit hinauf, dann verlor sie den Halt und fiel herunter. Sie gab nicht auf, probierte es immer wieder; manchmal versuchte sie, wie um Kraft zu sammeln, die Flügel schwirren zu lassen; er bemerkte, daß sie bloß noch einen hatte. Hatte sie ein Nest unter einem Dachziegel, das sie zu erreichen suchte?

Oben im Bereich des Parkplatzes schien ein Auto stehengeblieben zu sein. Die Sechserpackung Mineralwasser, ein schwerer Sack mit Gemüse und mehrere Packungen Makkaroni befanden sich noch im Fond des Simca. Nachdem Mario einmal berichtet hatte, ein Verrückter sei manchmal in der Gegend unterwegs und schlitze die Reifen von Autos auf, wurde er jedesmal hellhörig, wenn er hörte, daß ein Auto oder ein Motorrad anhielt. Das Fahrzeug fuhr langsam den Weg herunter, manchmal schnellte ein Stein von einem Reifen weg. In der Haarnadelkurve schien der Wagen nicht mehr weiterzukommen. Gleich darauf vernahm er Stimmen, zwei Männer; nach zehn Minuten hörte er sie den Hohlweg herunterkommen und miteinander sprechen. Es war Heinrich mit einem kleinen Italiener. Heinrich ging mit einem Stock voraus; als er Stefan sah, hob er den Stock und richtete ihn wie zum Gruß auf ihn.

»Wäre nicht dein Auto mit dem österreichischen Kennzeichen dort oben gestanden,« meinte er, »hätten wir gar nicht hergefunden.« Autos, meist von Beeren- und Pilzsammlern, die die Wälder absuchten, stünden ja öfter an etwas breiteren Stellen der Straßen.

»Jetzt sieht es hier tatsächlich bewohnt aus, sehr schön!« Er sei mit dem Taxi zum Zahnarzt in Montevarchi gefahren, habe sich auf der Rückfahrt überlegt, wie es wäre, ihn auf gut Glück zu besuchen. Ob er ihn später nach Pontenano zu bringen könnte? In diesem Fall würde er den Fahrer jetzt entlassen.

Als er die unebenen Stufen hinaufstieg, blieb Stefan hinter ihm. Das große, fast leere Südzimmer beeindruckte Heinrich, die Nachmittagssonne leuchtete die Hälfte des Ziegelbodens aus. Er fragte, ob Stefan schon einmal auf dem Antiquitätenmarkt in Arezzo gewesen sei, oben auf der Piazza Grande, jeden ersten Sonnabend im Monat. Dort könne man für wenig Geld die schönsten Tische, Stühle, Schränke kaufen. »Wo bringst du Wäsche und Kleider unter? Und wo verstaust du das Bettzeug, wenn du abreist?« Er habe in einem Abstellraum eine Kommode stehen, die er nicht benötige, sagte Heinrich. »Ah, der Brunnen!« rief er, als er zum Fenster hinausschaute. Er erzählte, wie er, ein Jahr nachdem er in Pontenano eingezogen war, wegen einer größeren Zahnbehandlung für eine Woche nach Deutschland gefahren sei und nach seiner Rückkehr habe sehen müssen, daß im Haus eingebrochen worden war. Zwei der schönen alten Stühle und die Musikanlage seien gestohlen worden. Als er Wochen später einmal in der Bar gestanden sei, in der man auch verschiedene Lebensmittel kaufen konnte, habe die Tochter aus einem Hinterzimmer einen Stuhl für eine alte Frau gebracht, der übel geworden war. Er habe sich eingebildet, es sei einer seiner Stühle gewesen.

Die quadratische Aussparung in der Mauer, in Hüfthöhe, auf der Nordseite des kleinen Zimmers, in der er seine Bücher aufgestellt hatte, gefiel Heinrich. Stefan sagte, von außen sei zu erkennen, daß hier vor langer Zeit ein kleines Fenster gewesen sei. Rasch deckte er das zerwühlte Bettzeug auf der Matratze mit der schwarzen Wolldecke zu. In der Küche untersuchte Heinrich den Kamin. Stefan zeigte ihm das Brett außerhalb des Küchenfensters und erzählte, daß dort vormittags – außer bei Regen – immer eine Eidechse mit Schwanzstummel erscheine, hereinäuge. Wie er – wenn er nicht gerade Geschirr zum Trocknen dort liegen habe – sie mit einer kleinen Lache Tee oder mit Sardinenresten füttere.

Zu zweit wurde es eng in der Küche. Heinrich schüttelte den Kopf, als er über sich die lose aufliegenden Dachziegel bemerkte; an vielen Stellen sah man durch die Spalten den Himmel. Stefan erzählte, wie er einmal, als es auf dem Dach polterte, hinaufgeschaut und plötzlich in einem größeren Spalt die behaarte Schnauze eines Tiers gesehen habe. Aber seit er die Ziegel zurechtgeschoben und zerbrochene ausgetauscht habe, regne es in der Küche nicht mehr herein. Er fragte ihn, ob er ihm etwas anbieten dürfe, Wein, Mineralwasser, er hätte auch alles hier für einen kleinen Imbiß, Pecorino, Oliven, Tomaten. Heinrich wollte zuerst ums Haus schauen. Als sie die Treppe hinunterstiegen – Stefan nahm einen Klappstuhl mit – hakte Heinrich sich bei ihm ein; er roch ein Eau de Cologne.

Selina meine, er sei zu alt für das Leben hier, im Falle einer schweren Erkrankung würde keine gute ärztliche Versorgung möglich sein. »Nun,« sagte er, »meine Frau hatte eine Bauchfellentzündung, und die Ärzte im Kölner Krankenhaus haben eine Sepsis nicht verhindern können. Das ist erst zwanzig Jahre her.« Stefan deutete auf die Vorderseite des Hauses, wo Mario im Frühjahr begonnen hatte, die Ritzen und Löcher der Steinmauer mit Mörtel zu verputzen. Mario hatte die Fugen mit der Hand verschmiert, und damit die Umrisse der ungleichen Steine, aus denen die Mauer gefügt war, nachgezeichnet. Aber mehr als die vereinbarten achthunderttausend Lire fürs Ausmalen der Räume könne er vorläufig nicht aufbringen. Wichtiger scheine ihm als nächstes der Ziegelboden im großen Zimmer. Auf der Ostseite zeigte Heinrich mit dem Stockende auf die halbbogenförmige Nische in der Mauer, zwischen dem Küchenfenster und jenem des großen Zimmers, die Stefan noch gar nicht aufgefallen war: Dort oben habe traditionellerweise eine kleine Madonnenstatue gestanden.

»Da kannst du Pizze backen«, sagte er und zeigte auf den Backofen, öffnete die quadratische Eisentür. »Du mußt bloß die Schamottfläche reinigen. Der Ofen ist in gutem Zustand. Mit Hartholzscheiten und trockenen Ästen aus dem Wald machst du ein ordentliches Feuer. Bevor du die Fladen hineinschiebst, mußt du mit einem Besen aus Wacholdersträuchern die Fläche reinigen. Man hat in solchen Backöfen auch Lasagne in großen Pfannen gebacken.« Als sie vor dem Haus saßen, erzählte Stefan vom Essen bei Vittorio in Arezzo und machte ihn auf die Olivenbäume aufmerksam, die der Nachbar Marini in diesem Frühjahr beschnitten hatte. Sie trieben jetzt stark aus. Um den ersten Baum an der Terrassenkante, wo der Weg zum Bach hinunter vorbeiführe, tue es ihm leid, sagte er, diesen habe er im letzten Sommer am liebsten angeschaut; über die üppige Krone hinaus habe, wie eine Hutfeder, ein belaubter junger Ast geragt. Der dicke Stamm mit der schrundigen Rinde sehe aus, als habe eine höhere Macht versucht, den Baum zu drehen, so wie man einen Schößling herausdreht. Der ausladende große Ast habe weg müssen, hatte Nardo gesagt, ein Baum brauche Luft. An einem anderen Olivenbaum habe er ihm gezeigt, was alles weggeschnitten werden müsse; besonders die jungen Äste zwischen den dicken Hauptästen. Ihm fiel wieder ein, wie liebevoll Marini die herunterhängenden Zweige mit den grünen Früchten angefaßt hatte. Wie er gemeint hatte, in ein paar Jahren würden diese Bäume so viele Früchte tragen, daß es bestimmt einige Leute in Gello gebe, die sie gern ernten würden. Hätte er geahnt, wie sehr der Baum sein Aussehen verändern würde, sagte Stefan zu Heinrich, der sich jetzt eine Zigarette anzündete, hätte er ihn gebeten, diesen einen Baum zu belassen, wie er war. Der mächtige Ast sei nicht dürr gewesen. Marini habe ihn gleich in Stücke geschnitten, und er habe sich neulich, zum Beschweren von Papieren, drei Scheiben abgesägt, jeden Tag rieche er daran. Es habe, sagte Stefan, von hier, wo er meistens sitze, ausgesehen, als gestikuliere der Baum. Es beeindrucke ihn immer wieder, wie jeder dieser Olivenbäume eine ganz andere Gestalt habe.

»Du bleibst doch wenigstens bis Ende September?« fragte Heinrich. Es tue ihm leid, daß sie sich nicht öfter gesehen hätten. Stefan erwiderte, am Tag davor habe er überlegt, wegen seiner Schreibarbeit Anfang September heimzufahren. Er habe einsehen müssen, daß er hier nicht zum Schreiben komme. Er habe in zehn, nein, elf Wochen noch keine Zeile geschrieben, weder am Drehbuch-Entwurf noch am Roman. Demnächst werde sein Bruder ihn besuchen, mit dem werde er dann hoffentlich einen Drehbuch-Entwurf erarbeiten können. In der Früh habe er sich eine andere Zeiteinteilung überlegt: sich gleich nach dem Aufstehen an den Schreibtisch zu setzen. Aber er müsse auch anfangen zu sparen, das Leben hier in Italien sei viel teurer, als er es sich vorgestellt habe. Heinrich meinte, er solle doch aufschreiben, was er fürs Haus alles ausgegeben habe; das jedenfalls dürfe er ihm ersetzen. Er sei sehr glücklich über seinen Einfall, ihn das Haus bewohnen zu lassen. Wenn es ihm nichts ausmache, würde er jetzt gerne heimfahren, er sei müde, habe auch wegen des Zahns – das Zahnfleisch habe genäht werden müssen – seit dem Frühstück noch nichts essen können. Er würde sich freuen, wenn Stefan am Sonntag zu ihm zum Mittagessen komme, sonntags gebe es immer Lammbraten. Und er fragte wieder, ob er Selina am Freitag abholen könne. Auf der Fahrt hinauf zum Paß *La Crocina* – kurz vor dem Scheitel zweigte die Straße nach Pontenano ab – erzählte er Heinrich, wie Mario ihm unlängst empfohlen habe, einen kleinen Traktor anzuschaffen. Mit diesen winzigen, schmalen Dingern könnte man sogar auf gerodeten Terrassen fahren. Und wie er Mario geantwortet habe, er habe es längst aufgegeben zu denken, er könnte ohne eine Hilfe das Terrain, das zum Haus gehörte, dauerhaft roden oder gar bewirtschaften. Dazu müßte er wenigstens von März bis Oktober hier sein, und würde zu nichts anderem kommen. Heinrich ging nicht darauf ein, er machte ihn auf das Städtchen Anghiari aufmerksam, und erwähnte die berühmte Schlacht, die in der Mitte des 15. Jahrhunderts zwischen florentinischen, papsttreuen Truppen und einem mailändischen Heer stattgefunden hatte. Fünfzig Jahre später sei Leonardo da Vinci beauftragt worden, diese Schlacht auf einer Wand im großen Saal des Palazzo Vecchio darzustellen. Stefan solle sich auch San Sepolcro ansehen. Die Stadt habe mehr Umbrisches als Toskanisches, sie habe ihn an die Unterstadt von Assisi erinnert und sei auch wegen Piero della Francesca, seinem aufregenden Auferstehungs-Fresko, sehenswert, das im alten Rathaus eine ganze Wand einnehme. Es gebe, zuerst um Arezzo herum, die Schnellstraße nach San Sepolcro und Citta di Castello, viel schöner sei aber die Fahrt von Ripa di Quarata auf der Landstraße durchs Chiassa-Tal in die Berge und dann hinunter in die Ebene des Val Tiberiana. Nach Anghiari müsse wieder einen Hügel hinaufgefahren werden. Das Städtchen liege teilweise an einem Abhang.

Er würde sich derzeit schwer tun, die steile Straße im Zentrum hinunterzusteigen zu der Bar, die er damals so geliebt habe, daß er mehrmals nach Anghiari zurückgekehrt sei, nur um in dieser Bar, in der die *Neue Zürcher Zeitung* aufgelegen habe, einen Kaffee mit Brandy zu trinken, sitzenzubleiben und in Ruhe Zeitung zu lesen. Als er gezahlt und den Besitzer gefragt habe, wie er mit dem Auto am besten nach Monterchi gelange, sei dieser mit vor die Tür gekommen und habe ihm erklärt, wo er abbiegen müsse. Er sei noch ein wenig in den Gassen herumgewandert; dann sei er, unterhalb der Bar, wieder auf die steile Straße hinausgekommen und habe nach ein paar Schritten freie Sicht ins Tibertal gehabt. Diese schnurgerade abfallende Straße habe man mit den Augen bis San Sepolcro verfolgen können. Sie erreichten Pontenano, Heinrich bat ihn, ihn vor der Bar aussteigen zu lassen. Also bis zum Sonntag, sagte er und wiederholte: »Fahren Sie einmal nach Anghiari ... Fahr!«

In dem Müllsack, den er am Vorabend heraufgetragen und in der Nähe des Wagens abgestellt hatte, wimmelte es von Ameisen. Er konnte ihn nicht mitnehmen, mußte ihn später in einen größeren Sack stecken und diesen verschnüren. Er stellte sich lieber nicht vor, was passiert wäre, wenn er den Sack im Kofferraum verstaut gehabt hätte. Vor der Kurve, wo ungefähr zwei Wochen zuvor die halbe Straße abgerutscht war, hatte man nun ein Warnschild angebracht. Beim Bona-Brunnen sah er am Wegrand Antonio Ferrettis gelbe Vespa stehen. Er hielt an, arretierte die Handbremse. Als er mit dem Kanister ausstieg, sah er, daß ein Schlauch, der über die Straße den Hang hinunter verlief, ans Brunnenrohr angeschlossen war. Er kehrte um. Aus dem Wald war das Kreischen von Kettensägen zu hören. Von dem Hain oberhalb des Brunnens kam Geschrei von Kindern; auch während der Ferien wurden sie an den Vormittagen von einer Kindergärtnerin betreut. Er wunderte sich, daß Antonios Roller auf diesem unebenen Gelände nicht schon umgefallen war, fuhr den Wagen hinauf bis zum Friedhof und stellte ihn auf dem schattigen Platz an der seitlichen Friedhofsmauer ab. Wieder beim Brunnen angelangt, sah er Antonio in seinem mit Drahtgeflecht umzäunten Garten, einem ebenen Streifen unterhalb der Straße. Nach San Giustino könne er heute nicht fahren, sagte Antonio,

Lastwagen und Holzstämme würden die Straße blockieren. Warum er sich nie blicken lasse? Er solle ihm doch helfen, den Zaun wieder aufzustellen. Die Wildschweine hätten ihn wieder ruiniert und von seinen Kartoffeln und Zucchini gefressen. Er hatte das Drahtgeflecht geflickt; es war so schwer, daß sie es zu zweit kaum aufrichten konnten. Während er dann seine Beete in kreisender Bewegung mit dem Schlauch bewässerte, erzählte Antonio, *La nonna* sei auf der Treppe gestürzt, sie habe sich zwei Zähne ausgeschlagen und könne seither nur im Lehnstuhl schlafen.

Er fuhr in die Gegenrichtung, die steile Schotterstraße hinunter nach Fibocchi; das Drehen des Lenkrads, das Drücken der Pedale, das Schalten, ein sinnliches Vergnügen, das präzise Einlenken in die schmalen, geschotterten Kurven war, als ob er ein Boot über Wellen lenken würde.

Die verrückte Hellblonde an der Tankstelle belustigte ihn jedesmal wieder. Sie war stark geschminkt, trug eine schwarze Lederhose; während sie den Zapfhahn in die Tanköffnung des Simca steckte und auf das Zählwerk schaute, sprach sie murmelnd mit sich selber. *Insomma*, wiederholte sie dauernd. Wenn Stefan jemanden fragte, wie es ihm oder ihr gehe, lautete die Antwort oft: *Insomma … insomma bene.* Als er sie bat, die Windschutzscheibe zu reinigen, verzog sie den dunkelrot angemalten Mund. Er gab ihr ein anständiges Trinkgeld, für das sie sich überschwenglich bedankte. Den Wagen ließ er im schattigen Bereich der Tankstelle stehen und schaute beim Friseur hinein; er war um zehn Minuten zu früh dran. Es dauere noch eine halbe Stunde, sagte der junge Friseur, er war allein, der zweite Stuhl unbesetzt. In der Bar stand schon die Tankfrau an der Theke, rührte mit dem Löffel endlos in ihrem Kaffee, ignorierte sein Lächeln und Zunicken. Auf der ersten Seite des *Corriere* war ein Bericht über einen Unfall auf der Autobahn bei Florenz, ein großes Foto zeigte zwei völlig zerknickte, ineinander verkeilte Autos. Auf allen Tischen lagen bunte Werbeblätter, die für die Eröffnung eines neuen Möbelhauses *(Centro Showroom Arredamenti)* in San Giustino warben. Er hatte sich schon seit Wochen über das monströse Bauwerk neben der Straße am Ortseingang gewundert, das einer Sprungschanze ähnlich sah. Auf dem Weg zur Eisenhandlung kam er an dem Gebäude vorbei und schaute durch die riesigen Glasscheiben. Die Wohnzimmer, Dielen und Schlafzimmer sahen aus wie jene, mit denen man die Kulissen der amerikanischen Fernsehserien ausstattete. Zwei Männer in Jagd-Uniform, ärmellosen Überziehern mit zahllosen Taschen und Schnallen, kamen in die Bar, jeder einen Jagdhund an der kurz gehaltenen Leine. Ihm schien, es sei noch zu früh für die Jagd, im letzten Sommer waren die ersten Jäger Anfang September zu sehen gewesen. Jetzt mußte er noch einen Scheck einlösen. Als er die Bar verließ – draußen standen wieder Autos mit laufenden Motoren – stieß er auf den Friseur, dem er zurief, er müsse noch zur Bank.

Ein guter Einfall von Bulwer-Lytton, schien ihm, die blinde Sklavin Nydia während des Aschenregens in Pompeji auftreten zu lassen, weil sie sich auf der Flucht durch die Straßen der Stadt beim Vulkan-Ausbruch besser zurechtfand als die anderen Bewohner. Am Tag zuvor hatte er sich die beiden Bücher, die er von Heinrich beim letzten Besuch ausgeliehen hatte, zurechtgelegt, die Briefe Plinius' des Jüngeren und Jean Pauls *Selina*. Seit Wochen war er kaum zum Lesen gekommen, war abends einfach vor dem Haus gesessen und hatte überlegt, was er am nächsten Tag arbeiten würde; manchmal, wenn er zu lesen angefangen hatte, hatte er plötzlich etwas gespürt, hatte geschaut und gesehen, daß die Wildkatze an der Mauerkante saß, dort, wo die Wiese endete, und ihn beobachtete. Sobald er aufstand, sprang sie auf die Terrassen hinunter. Den Teller, auf den er abends manchmal Essensreste legte und den er an der Terrassenkante auf der Höhe der Werkstattüren hinstellte, war in der Früh jedesmal leer, aber wer weiß, welches Tier den Teller zuerst entdeckte? Auf dem Weg hinauf zur Straße wuchsen auf beiden Seiten bereits wieder die Dornenranken und Sträucher in den Weg herein; das war besonders nachts lästig, wenn er im Finstern herunterkam. Hätte ich doch, dachte er, wie Cicero oder Seneca, meine Bediensteten, die das Anwesen in Schuß halten! Die erste lange Terrasse bachseitig unterhalb des kleinen Zimmers zu mähen und zu roden würde mindestens drei Tage beanspruchen. Gäbe es eine zivilisierte Toilettenanlage, eine komfortable Wasch- und Duschmöglichkeit, dachte er, dann wäre das Haus auch für eine Frau bewohnbar.

Die verrückte Schwärmerei für Carolina war vielleicht auch bloß eine Sehnsucht gewesen, sich dem Mythos Italien zu nähern, war ihm vor zwei Jahren, als er sie in Neapel besuchte, bewußt geworden. Er hatte mit ihr überhaupt nur sprechen können, weil sie mit einer Freundin in das Cafè gekommen war, und nach einer Stunde wurde sie nervös, ihre Mutter schaue sicher bereits auf die Uhr. Merkwürdig: allein die Tatsache, daß sie erst achtzehn Jahre alt war, genügte, um sämtliche Träumereien wie mit einem Windstoß verfliegen zu lassen. Nicht ihr *Verlobter* störte ihn, in ihren Briefen hatte sie immer wieder betont, dies habe nichts zu bedeuten, es sei in Palermo so üblich. Sie hatten sicher fünfzig Briefe gewechselt in den drei Jahren, das Alter war nicht wichtig gewesen. Als er sie zuerst sah, auf dem Schiff von Palermo nach Ustica, hätte er sie auf achtzehn geschätzt, und sie hatte ihn gesehen und wahrscheinlich für jünger gehalten, denn obwohl sie sich nichts anmerken ließ, war er ihr mit seinen neununddreißig Jahren jetzt sicherlich uralt erschienen. Vermutlich war es die Gegenwart dieser stummen Natalia gewesen, die dauernd auf ihren Lippen herumbiß, daß sie sich in Neapel, wohin ihr Vater als Polizei-General versetzt worden war, anders als in den vielen Briefen nicht viel zu sagen hatten, obwohl er nichts anderes als Carolina im Kopf gehabt hatte, nachdem sie zugestimmt hatte, ihn zu sehen, wenn er nach Neapel komme. Er hatte dann auf dem Rückweg zum Hotel in der engen dunklen Gasse mehrmals überlegt, daß sie damals auf dem Schiff erst fünfzehn gewesen sein konnte; das ist das Alter meiner Schülerinnen, hatte er gedacht.

Nein, es gab keine Frau, die er hätte einladen können, keine, die in diese abgeschiedene Gegend kommen würde. Monika hatte beim Betrachten der Fotos von Mora, die er im vorigen Sommer gemacht hatte, bloß verächtlich den Kopf geschüttelt und es hatte nichts genützt, daß er einwandte, im nächsten Jahr, mit Türen und Fenstern und nach weiteren, gründlichen Rodungsarbeiten schaue das ganz anders aus. Am letzten Schultag hatten sie ihn im Konferenzzimmer immer wieder gefragt, was er in seinem Freijahr nun treiben werde. Ob er eine Weltreise unternehme? Obwohl er in der Schule nicht über Mora gesprochen und auch Monika gebeten hatte, den Mund zu halten, er wollte das doch abwertende Gerede vermeiden, hatte sie einmal im letzten Sommer, als sie sich alleingelassen fühlte, zu einer Lehrerkollegin über seinen Aufenthalt im Valdarno gesprochen, nachdem er ihr vorgeschlagen hatte, sie könne ihn im August, wenn er gerodet und entsprechende Vorbereitungen getroffen habe, für eine Weile besuchen oder zumindest in einer nahegelegenen Pension nächtigen. Es hatte seine Entfremdung von Monika verstärkt, als dann im Herbst unter den Kollegen Gerüchte von einem *Abbruchhaus* oder einer *verlassenen Villa* in der Toskana kursierten.

Im vorigen Sommer, als er auf einmal begriff, daß ein paar Wochen Arbeit nicht ausreichen würden, um das

Haus und seine Umgebung so herzurichten, daß er sich dann hauptsächlich dem Schreiben widmen könnte, hatte er es für dieses Mal aufgegeben und auf den nächsten Sommer gehofft. Er hatte damals ohnehin bloß an die Lektüre einiger Bücher über Pompeji gedacht, an Schemata und Notizen; wenn er den Plinius zur Einstimmung einmal hervorgeholt und sich draußen hingesetzt hatte, war er müde, unkonzentriert und las dafür einen der süchtig machenden Romane von Patricia Highsmith. Tomasi di Lampedusas *Racconti* hatte er im Zeitungsladen in San Giustino als Taschenbuch gefunden. (Eine Empfehlung Carolinas: »Das nehmen wir derzeit in der Schule durch.«) Ihn hatte vor allem die Erzählung *Die Sirene* begeistert, sie hatte vor einer Woche eine solche Sehnsucht in ihm geweckt, daß er überlegte, für drei oder vier Tage an die Adria zu fahren, obwohl ihm klar war, daß er dort keine Küste wie jene in Siziliens Osten vor hundert oder hundertfünfzig Jahren finden würde. Er beschloß, einen Großeinkauf zu tätigen, sich bei Mario abzumelden, dann den Plinius konzentriert zu lesen und sich Notizen zu machen; eventuell auch die *Selina*, um die Bände Heinrich beim nächsten Besuch zurückgeben zu können. Die neuerliche Lektüre des Plinius, stellte er sich vor, die Stelle über den Ausbruch des Vesuvs vor allem, würde ihn möglicherweise anregen, mit dem Roman zu beginnen, ihm helfen, wenigstens mit einigen Seiten in der Mappe heimfahren zu können.

Im Morgengrauen spürte er eine Schwellung am Kinn, auch schmerzte ein tiefer Schnitt in den Finger, den er sich am Tag zuvor in der Werkstatt beim Hinstellen der Sense zugefügt hatte, er betupfte beides mit Grappa. Der Boden im Schlafzimmer war schon wieder staubig, er hätte täglich feucht gewischt werden müssen. Am Morgen nach dem Erwachen brannten seine Augen, die Mundhöhle fühlte sich pelzig an; es war nicht besser geworden, seit die Matratze auf dem Eisengestell lag. Mit einem Glas Wasser trat er auf den Treppenabsatz hinaus und spülte sich den Mund; dann nahm er im großen Zimmer den Rahmen mit dem Fliegengitter vom Fensterstock und schaute hinaus. Da sah und hörte er im Graublau der Dämmerung ein schmatzendes Tier im Gras zwischen den Pflaumenbäumen, drei Meter von der Hausmauer entfernt. Als er sich weiter hinausbeugte, hielt es still und schaut herauf, fauchte heftig und flitzte davon. Die grauen Rückenhaare, die Schnauze, war es ein Dachs? Jeden Morgen lagen auf der Wiese süße Pflaumen. Hinter dem Hügel krähte der Hahn der Marinis. Von der Sonne war noch nicht der geringste Widerschein zu sehen. Er dachte an Selina, die er am nächsten Tag am Bahnhof in Arezzo abholen würde. Da sie Heinrich seit Jahren dazu bewegen wollte, nach Deutschland zu ziehen, fühlte er eine Abneigung gegen sie, schon ehe er sie kennenlernte.

Der Wein, den er einige Tage zuvor im *Despar* gekauft hatte – das Etikett hatte seriös gewirkt – schmeckte scheußlich, er schüttete den Rest der Flasche neben der Zufahrt in die Büsche und aß weiter. Um halb fünf Uhr morgens hatte er Heu verbrannt; jetzt saß er mit brennenden Augen auf der untersten Steinstufe vor dem Haus; der mächtige Aschenhaufen mitten auf der gemähten Wiese gloste noch immer. Es war noch zu früh, um nach San Giustino zu fahren, zum Gemüseladen; vor allem, er traute dem Überrest des Feuers nicht so recht, einsetzender Wind würde genügen, um es erneut zu entfachen. Er wollte auch zu Mario und ihn fragen, ob er endlich die Ersatz-Fensterscheibe besorgt hatte, beziehungsweise, wo in Loro Cuffena sich die Glaserei befand.

Während er den Walkman zu reparieren versuchte, näherte sich oben auf der Straße ein Motorrad. Er hatte vor dem Haus sitzend bemerkt, wie eine Ameise aus einem winzigen Spalt des Geräts kroch, das seit dem Vortag nicht mehr funktionierte. Im Werkzeugkasten fand er einen kleinen Schraubenzieher und begann es zu zerlegen. Als er den Deckel abnahm, flüchteten fünf oder sechs Ameisen; der dünne Gummiring des Antriebs war aus der Nute des Rädchens gekommen; an einer Stelle des Rädchens klebte eine zerdrückte Ameise. Manchmal schluckte ein Einschnitt des Höhenrückens das Motorengeknatter, dann wurde es wieder deutlicher hörbar. Als das Fahrzeug auf der Höhe des Autoabstellplatzes anhielt, war klar, daß der Fahrer zum Haus herunterfahren würde, und schon hörte er ihn im ersten Gang die Steigung herunterkommen. Vor diesem steilen Anfangsstück (jetzt, gegen neun Uhr morgens wegen des Taus auch noch rutschig), hatten alle Respekt. Es war Sergio, der im Motocross-Stil, auf den Fußrasten stehend, herunterholperte, den Tisch auf dem Vorplatz umrundete, endlich den kaum schallgedämpften Motor abstellte. Es sei angerufen worden aus Österreich, bei Mario, nicht bei ihnen. Mario habe bloß den Namen Schneider verstanden, Schneider, ob er damit etwas anfangen könne. Stefan fragte ihn, ob Mario am Nachmittag zuhause sei, und überlegte, um vier nach Gello zu marschieren. Und fragte sich, was Monika von ihm wollen könnte. »Warum rufst du nicht endlich einmal deine Tante an?«, hatte sie beim letzten Mal gesagt. Weil ich mit diesen Leuten nichts mehr zu tun haben möchte, hatte er antworten wollen, jedoch geschwiegen. Monika hatte sich seit jeher gut mit Martin verstanden, seinem Stiefvater, dem Orgelbauer, der, wenn er in Stimmung war, nicht mehr aufhörte Witze zu erzählen; mit seiner stets eine eisige Stimmung erzeugenden Tante Erna hatte auch sie ihre Schwierigkeiten gehabt. »Meine Cousine ruf ich nicht mehr an«, hatte er gesagt, »jedesmal klagt sie über eine andere Krankheit. Erkundige ich mich zwei Wochen später bei meiner Tante nach ihr, ist von dem angeblichen Tumor keine Rede mehr.«

Sergio berichtete, Mario müsse ab Oktober wieder arbeiten, als Maurer auf einer Großbaustelle südlich von

Arezzo; am übernächsten Tag wolle er mit den Kindern ans Meer fahren. Fortunata werde sich dann künftig um Davide kümmern. Stefan dachte, dann wird Mario in den Wintermonaten kaum noch etwas am Haus tun können, wird den Zaun entlang der Wiesenkante, wie sie es ein paar Wochen zuvor besprochen hatten, nicht errichten. Stefan hatte sich vorgestellt, wie er dann abends, mit der Brust an den oberen Querpfosten gelehnt, nach Süden schauen könnte. Er verschob es auf den Nachmittag, den Walkman zusammenzubauen.

Loretta schüttelte auf der Veranda eine Tischdecke aus, dabei erblickte sie Stefan, der auf der Hausbank von Mario saß. Er hatte Monika anrufen wollen, und als er die Treppe an Marios Haus wieder hinunterstieg, ärgerte er sich, daß keines seiner Kinder zuhause war. »Ciao, come stai?« rief Loretta. Und fragte ihn, ob er einen Kaffee wolle, er solle doch heraufkommen. Ihre Mutter liege krank im Bett, in der Wohnung schaue es fürchterlich aus, ihr Vater würde sich wie gewohnt um gar nichts kümmern. Aus einem anderen Zimmer waren die Geräusche einer Fernsehsendung zu hören. Sie habe schon zu viel Kaffee getrunken, sagte sie und band sich die Schürze ab, ehe sie sich zu Stefan an den Küchentisch mit der fleckigen Kunststoff-Auflage setzte. »Wie geht's dir?« fragte er flüsternd. Sie ging auf seinen Ton nicht ein, klagte über Enzo, der nie daheim sei zum Lernen für die Nachprüfung. Zu schnell hatte er den Kaffee ausgetrunken; nun wußte er nicht, was er tun oder sagen sollte; und dachte, wenn ich Raucher wäre, könnte ich mir jetzt eine Zigarette anzünden … Als er ins Haus getreten war, hatte er sich vorgestellt, sie zu fragen: »Wann kommst du wieder einmal nach Mora?« Sie lächelte ihm zu, er sah ihre vollen Oberarme, die er gestreichelt und geküßt hatte. Er dachte, gern würde ich in der Früh neben ihr aufwachen, aber … Wenigstens fragte sie dann: »Wie geht's in Mora?«, und er berichtete, daß er wieder auf dem Dach gewesen sei und einige Ziegel zurechtgerückt habe, daß der Brunnen derzeit nur wenig Wasser gebe und er täglich den Schlauch entlüften müsse, daß er einen wilden, überaus scheuen Kater mit Essensresten füttere. Er traute sich nicht zu sagen, wie oft er an das herrliche Essen in Bibbiena denke, an die Lasagne, den Wein. Mario war eingetroffen, auf der Piazza war seine Stimme zu hören; wahrscheinlich rief er etwas zu Fortunata hinauf.

Wie nah Monika ihm während des Gesprächs in der finsteren Telefon-Ecke im Hause Marios gewesen war. Sie hatte ihre guten Seiten, darunter die Gabe, trösten zu können. Beinahe hätte er sie gefragt: Magst du kommen? Aber sie korrigierte ihre Entscheidungen niemals.

Es ist aus, dachte er immer wieder, der arme Franz. Kein Film, kein Vorschuß vom ORF, kein weiteres erkauftes Freijahr. Daran dachte er zuerst, nicht an die Hand seines Bruders, an der etliche Sehnen abgetrennt worden waren; Monika hatte ihm den Hergang des Unfalls bei den Dreharbeiten in Preßburg so eindringlich geschildert, daß er jetzt in der Erinnerung beinah den Eindruck hatte, er sei dabei gewesen. Beim Brunnen fiel ihm ein, daß Franz jetzt auch nicht nach Mora kommen würde, er würde allein sein den ganzen restlichen Sommer. Wenn er in den letzten Wochen an den Pompeji-Roman gedacht hatte, an die Spurensuche im Jahr zuvor in Neapel bei Castellamare di Stabia, einer Industrielandschaft, wo man sich nicht mehr vorstellen konnte, wie es vor zweitausend Jahren ausgeschaut haben mochte, sagte er sich jedesmal, er sollte endlich mit dem Exposé für den Mozart-Film anfangen. Mitte

August würde dann Franz kommen, hatte er gehofft, und dann würden sie eine Woche intensiv am Drehbuch arbeiten; bis zum Spätherbst brauchte Franz wenigstens eine Rohfassung, um zu Subventionen zu kommen. Während des Telefonats hatte er daran gedacht, heimzufahren, Franz – obwohl es ihm mittlerweile besser ging – im Krankenhaus zu besuchen; als Monika fragte, wie lange er denn noch bleibe, ob er nicht für eine Woche heraufkommen könne, erwiderte er, wenn er an die Autobahnfahrt denke, jetzt in der Hauptsaison, bald würden die Italiener in die Ferien fahren, und zwei Fahrten in einer Woche, diese Vorstellung schrecke ihn, außerdem sei Selina, die Nichte Heinrich Seifferts, aus Deutschland gekommen, um die müsse er sich kümmern, Seiffert habe aufgehört Auto zu fahren. Als er den Hohlweg nach Mora hinunterging, hatte er plötzlich das Gefühl, heimzukehren, zuhause zu sein, und das verstärkte sich, als am Ende des Wegs das Haus im Blickfeld hatte und die vierzehn Olivenbäume, die er befreit hatte von den sie umschlingenden Brombeersträuchern.

Obwohl Selina ihn, als er sie in Pontenano abgeholt und für ein paar Stunden nach Mora gebracht hatte, anfänglich verunsichert hatte, voller Rätsel für ihn gewesen war, zog sie ihn an, beschäftigte ihn. Als sie vor dem Haus gesessen waren und Wasser getrunken hatten – Wein wollte sie nicht, ihr werde davon leicht schwindlig bei der Hitze –, hatte sie gesagt, war dann doch ein Gespräch in Gang gekommen. Jedesmal wenn sie lächelte, war dies ein Moment des Glücks. Er konnte sich nicht satt hören an ihrem wohllautenden Hochdeutsch. Wir Österreicher, hatte er zu ihr gesagt, sind eher mundfaul, sprechen Sätze nicht zu Ende. Wie oft hatte er sich schon vorgestellt, hier mit einer anziehenden Frau zu sitzen, mit der er sich verstünde. Er hatte erwähnt, daß ihr Onkel ihn im letzten Jahr auf Petrarca aufmerksam gemacht hatte, und daß er sich nun ein Bändchen gekauft habe. Das Lesen sei nicht einfach, der Klang der Verse jedoch übertrage sich in jedem Fall, und er hatte eine Zeile zitiert: *Chiare, fresche et dolci acque* ... Den ersten Absatz hatte er am Tag zuvor beim Hinaufgehen zur Straße auswendig gelernt.

Auf der Rückfahrt hatte er ihr gesagt, sie erinnere ihn – wahrscheinlich wegen des Kleides – an die Madonna auf einem Tafelbild im städtischen Museum von Arezzo. Der Maler stamme aus der Gegend ... Und, fuhr er fort, er sei sicher, den Stoff, aus dem ihr Kleid gemacht sei, habe sie in Florenz oder jedenfalls in der Toskana gekauft. »Meinem Mann würde das kaum auffallen«, hatte sie gemeint; den Stoff habe sie in einem kleinen Laden in Pontenano entdeckt und das Kleid selber gestern in ein paar Stunden geschneidert, eine Nachbarin habe ihr alles Nötige geliehen.

Am Tag vor ihrer Ankunft hatte er zum ersten Mal an Abreise, an ein Abbrechen des Aufenthaltes gedacht; sein Freijahr schien sich ihm aufzulösen. Die Holzfäller, das Kreischen ihrer Motorsägen, die sich täglich vergrößernde Schneise auf dem Gegenhang über dem Kamm des Hügels herüber, oberhalb von Gello, wo sie die Strommasten einbetonieren würden; er fürchtete, daß die Strommasten – obwohl nicht bis Mora herunter gesetzt –, doch eines Tages oben auf der Straße sichtbar würden, daß ein Bautrupp erscheinen werde, und dann die ersten Masten entlang der Straße von Gello nach Fibocchi. Als er einmal vor dem Haus mit Mario darüber geredet hatte, meinte der, die Schneise werde wieder zuwachsen, wenn die Masten gesetzt und die Stromkabel gehängt wären, er dürfe halt nicht so genau hinschauen. Stefan hatte gesagt, ihn erinnere die Schneise an jene zuhause, wo auf vorher bewaldeten Berghängen Skilifttrassen entstanden waren. Nardo, hatte Mario geantwortet, warte schon seit vielen Jahren auf die Stromleitung zu seinem Haus. Was soll ich darauf sagen, hatte Stefan gedacht.

Während er die leicht geschwungene Terrasse ausmähte, auf der sich der Abort befand, hörte er einen Wagen herunterkommen. Er stellte sich ihm mit der Sense in der Hand entgegen und überlegte wieder einmal, oben, bei der Zufahrt, wie Mario einmal vorgeschlagen hatte, und wie es alle Hausbesitzer in der Gegend machten, eine Schranke zu errichten, zwei einbetonierte Eisenstangen mit Ösen für eine Kette. Er erkannte Selina zuerst nicht, als sie auf dem Steilstück unterhalb der Terrasse aus dem Wagen stieg, es war kaum Platz, um die Tür des dunkelgrünen Volvo zu öffnen; obwohl gerodet war, geriet sie am Wegrand mit ihren Hosen in die Brombeerranken. Sie trug einen Strohhut in der Hand und winkte. Er genierte sich vor ihr in seiner formlosen fleckigen Trainingshose und dem verschwitzten Leibchen. Aus dem hinteren Fenster streckte Heinrich grüßend die Hand. Stefan ging mit Selina den Rest des Wegs voraus, die letzte Kurve; er hatte die Pflaumen, die in der Nacht von den Bäumen gefallen waren, noch nicht aufgehoben. Erich, ihr Mann, fuhr den Wagen im Schrittempo, trotzdem streifte er hangseitig die Böschung an den beschnittenen Brombeersträuchern; der Lack des neu aussehenden Autos würde einige Kratzer abkriegen. Auf dem Vorplatz trug er den Tisch in den Schatten an der Hausmauer. Erich habe Mora sehen wollen, sagte Selina, und überhaupt … Sie war an diesem Tag fast nicht wiederzuerkennen, sprach und reagierte völlig normal, schien fröhlich; es ärgerte ihn, daß es vermutlich die Ankunft, die Gesellschaft ihres Mannes war, die sie belebte; war die Beziehung doch anders, als Heinrich mehrmals angedeutet hatte? Erich entschuldigte sich, als er ausstieg, daß sie mit dem schweren Wagen heruntergefahren seien, aber Heinrich gehe es nicht so gut. Die von Gewitterregen ausgewaschenen Fahrrinnen gehörten dringend aufgeschüttet, nach der engen Kurve sei der Vorderteil des Volvo zweimal auf dem teilweise felsigen Mittelstreifen aufgesessen, er sorge sich um seine Ölwanne und den Auspufftopf. Der Regen wasche diese Fahrrinnen immer tiefer aus. Ja, das weiß ich selbst, dachte Stefan und sagte, er fahre ohnehin bloß bei der Ankunft und vor der Heimfahrt mit dem Wagen herunter, und manchmal bei Großeinkäufen. Erich empfahl, Querrinnen in den Weg einzubauen, alle zehn Meter, damit das Wasser abfließen könne; wenn er länger hier wäre, würde er dabei helfen. Als Stefan sich umgezogen hatte und sie draußen saßen und Tee tranken, dachte er einmal: Erich ist mir heute sogar näher als Selina, die schnurstracks ins Haus getreten war, während Erich auf der Treppe gefragt hatte: »Dürfen wir?«

»Ihr hättet das Anwesen vor einem Jahr sehen sollen«, rief Heinrich von unten, und Erich: »Ja, das kann ich mir gut vorstellen.« Während Selina im Vorzimmer mit ihrem Mann die Stufen ins große Zimmer hinunterstieg, eilte Stefan ins kleine, stopfte den Pyjama unters Bettzeug, straffte es, schloß den am Boden stehenden geöffneten Koffer.

»Entschuldigen Sie, daß wir Sie so überfallen«, sagte Selina später, »könnte ich wohl ein Glas Wasser haben? – Wir sind gleich wieder weg, Heinrich will uns Arezzo und Gropina zeigen.« Sie standen vor dem Fenster und bewunderten den Ausblick auf den Backofen und den Osthügel mit den Oliven-Terrassen. Als er ihr das Wasser brachte, fragte er nach Heinrich. Sie bemühe sich, sagte sie, ihn zu überreden, mit ihnen nach Deutschland zu fahren, sich in einem Krankenhaus einmal gründlich untersuchen zu lassen. Ihr Mann fragte, ob er den Wagen auf dem Platz vor dem Haus wenden dürfe. Ihn auf jene Terrasse zurückzustoßen, auf der Stefan gemäht hatte, und dort zu wenden, wäre wohl etwas riskant? »Es ist herrlich hier«, rief er. »Setzen wir uns doch noch ein wenig in den Schatten«, sagte Stefan, »so eilig werden Sie es nicht haben.« Er habe neulich bei der Greißlerin – beim Krämer, verbesserte er sich – in San Giustino auf einem Regalbrett hoch oben, wo Süßweine und Essigflaschen stünden, zwei verstaubte Rotweinflaschen entdeckt und habe es, nachdem Anna, die Inhaberin, sie abgewischt hatte und er den Jahrgang sah, einfach riskiert, den Wein zu kaufen, er sei spottbillig gewesen. Gestern habe er ihn entkorkt – er sei hervorragend. »Ein Wunder beinah, daß er noch trinkbar ist, zwölf Jahre alt.« Ach, das interessiere ihn doch, sagte Erich. Stefan holte zwei weitere Klappstühle.

Es wurde ihm bewußt, daß er so freundlich zu Erich war, um Selina dafür zu bestrafen, daß sie in der Gesellschaft ihres Mannes so gut gelaunt war, an diesem Tag eine Wärme ausstrahlte, die ihn überrumpelte, ihn seine Verliebtheit empfinden ließ. Einmal, als er ihr das Wasserglas reichte, strahlte sie ihn fröhlich an. Heinrich war wortkarg, seinen Stock zwischen den Beinen, saß er vom Tisch abgewandt und blickte auf die Hügel bei Gello, nannte es einen *philosophischen Blick.*

»Jetzt verstehe ich dich«, meinte er, spielte damit auf seinen letzten Besuch in Pontenano an, als Stefan ihm von seinem Schauen erzählte. »Hier könnte man tatsächlich beinah vergessen oder leugnen, daß die Natur nichts zu tun hat mit uns, nichts von uns will, nicht einmal, daß wir uns reproduzieren, nein, das auf gar keinen Fall«, er lachte. »Man könnte tatsächlich anfangen, einen Sinn in dem Schönen, in der Fata Morgana da vor uns zu sehen. Aber fahrt bloß zwanzig Kilometer, nach Montevarchi oder in die Neustadt von Arezzo, in diesen geschäftigen Hexenkessel, dieses Klein-Chicago, und der Nihilismus zeigt sich von seiner schönsten Seite. Es gibt keine Tradition mehr, die sogenannte Moderne hat die Brücken abgebrochen. In meinem Garten oder hier auf Mora kannst du das für einen Moment vergessen«, sagte er zu Selina. Und zu Stefan gewandt: »Du mußt zum Essen kommen, bevor die beiden abreisen.« – »Bevor wir zu dritt nach Deutschland fahren«, rief Selina. »Wenn die Ärzte keine Bedenken haben, setzen wir dich dann in Düsseldorf in den Zug, und Sie holen ihn in Arezzo ab, ja?«

»Also ich würde mich freuen«, sagte Heinrich, »wenn ihr euch Du sagen könntet, an diesem Ort hier, seid so gut.«

Erich fragte, ob es hier in der Gegend Wanderwege gebe. Das Wandern, sagte Heinrich, habe in Italien, anders als in Deutschland, keine Tradition, schon gar nicht hier in den Bergen; die Leute arbeiteten hart und setzten sich abends vors Haus. Im Sommer sei es ohnehin viel zu heiß, um sich stundenlang im Gehen Bewegung zu verschaffen. Die früheren Pfade in den Wäldern seien zugewachsen, sie seien ja nicht als Wanderwege gedacht gewesen.

»Also dieser Wein!«, rief Erich, »und es gibt natürlich keine zweite Flasche davon?« Stefan erklärte, er stamme vom Weingut des Conte Albiano. Sein Schloß könne man an der Straße nach Laterina noch sehen, hinter einer Reihe von riesigen Maronibäumen. Der Conte habe vor zehn Jahren seinen gesamten Besitz verkaufen müssen, habe Mario ihm erzählt, und der neue Besitzer, Inhaber einiger Autovertretungen im Raum Florenz, lasse alles verkommen.

»Was ist?« fragte Selina und beugte sich zu Heinrich, der mit einer ungeschickten Bewegung sein Glas umgestoßen hatte. »Nichts, gar nichts«, erwiderte er gereizt, »mir fehlt nichts, es ist bloß die Sommerhitze. Daheim in meinem Haus und im Garten abends geht's mir gut. Schaut, wie üppig die Olivenbäume austreiben, das Roden hat gewirkt.«

»Ihr hättet sie im vorigen Sommer sehen sollen«, sagte Stefan, »bevor Marini, der Nachbar, sie im Herbst beschnitten hat.« Als er in diesem Jahr Ende Mai angekommen sei, erzählte er, sei er zuerst enttäuscht gewesen, sie hätten so kahl gewirkt; ihm hätten sie in ihrem Wildwuchs viel besser gefallen. »Sie bilden meine Gesellschaft hier, und ich bin überzeugt, daß sie mich auf ihre Weise wahrnehmen. Die Eiche gedeiht auch prächtig – dort drüben, die hab ich im letzten Jahr Ende August gesetzt; Mario hat gemeint, sie werde eingehen, es sei zu früh, er werde im Oktober eine daneben pflanzen, aber«, sagte er, »ich habe sie trotzdem gegossen, und Mario hat natürlich keine gepflanzt. Ein Haus habe ich nicht gebaut, höchstens eines – bis auf weiteres – vor dem Verfall bewahrt, ein Kind hab ich nicht gezeugt, noch nicht jedenfalls, aber ich hab einen Baum gepflanzt ... Übrigens«, sagte er zu Heinrich, »wird mein Bruder nicht kommen, er hat sich schwer verletzt.« Zu Erich: »Er ist Werbefilmer. Bei den Dreharbeiten für eine Pizza-Werbung hat unser berühmter Skirennläufer Kofler sich so ungeschickt angestellt, daß mein Bruder es ihm mehrmals vorgemacht hat. Dabei ist er über einen Kabelstrang gestolpert und durch eine Glastür gestürzt ... Kofler hätte bloß die Anfangsbewegung des Stürzens simulieren sollen, den Rest hätte ein bereit stehender Stuntman erledigt.«

»Das ist ja furchtbar«, sagte Selina, »aber er wird doch seine Finger wieder bewegen können?«

»Wir sollten jetzt fahren«, sagte Heinrich, »das Museum in Arezzo öffnet um vier. Aber es ist wirklich schön, hier zu sitzen, man könnte meinen, es gäbe noch ein Arkadien.«

Stefan war schließlich froh, daß er wieder allein war, als er den Wagen langsam hinaufstottern hörte; vor der Kurve drückte Erich auf den Gashebel, der Volvo röhrte im ersten Gang herum, man hörte die Steine wegspritzen. Es hatte kaum Gelegenheit gegeben, mit Heinrich zu reden. Auf einmal überkam ihn eine Traurigkeit, ein Gefühl wie am Vortag seiner Heimreise am letzten Augusttag des Vorjahres. Es hatte, ganz unüblich, diesen Juli einige heftige Gewitter gegeben, das Gras der Wiese war schon wieder kniehoch gewachsen, und er hatte es im Olivenhain ein zweites Mal gemäht.

Wie ein Verrat war es ihm vorgekommen, als Selina ihren Mann oben am Treppenabsatz auf das Täfelchen mit der Hausnummer aufmerksam gemacht hatte. Aber er mußte sich eingestehen, daß Erich ihm sympathisch war, mit ihm hatte er besser reden können als mit Selina; eigentlich hatte nur Erich geredet, witzig, gescheit, ohne prahlerisch zu wirken. Auf Erichs Frage, er habe gehört, er schreibe? sagte Stefan, ja, aber für einen Schriftsteller halte er sich natürlich nicht. Selina hatte gelächelt, ihr Gesicht war unter der breiten Hutkrempe meistens beschattet gewesen.

Nachts wälzte er sich schlaflos herum, lauschte auf das Krächzen der Vögel im Wald, auch die Nachtigall zwitscherte manchmal, das Knistern im Gebälk; dann wieder bildete er sich ein, er höre am Brunnen Wasser in den Trog plätschern oder in der Küche ein Rascheln im aufgehängten Müllsack.

Es war Selina, die ihm nicht aus dem Kopf ging; er hatte sich vorgestellt, sie käme vor der Abreise zu Fuß von Pontenano nach Mora herunter, wie sie übermütig gesagt hatte, und sie stünden wieder heroben auf dem Treppenabsatz, wie vorige Woche, als er sie abgeholt und heruntergebracht hatte, weil sie Mora hatte sehen wollen. Endlich stand er auf, ging im Finstern in die Küche, tastete, hob eine Wasserflasche vom Boden auf, griff sich ein Glas vom Geschirr-Regal, goß es voll und trank. Das einzige, was er wahrnahm, war die helle Umrandung des

Druckes, den er auf das Bord am Kamin gestellt hatte, die Schutzmantel-Madonna von Spinello. Es fiel ihm ein, er müßte etwas lesen über die geistigen Strömungen des ausgehenden ersten Jahrhunderts, vor allem über das frühe Christentum. Vielleicht hatte es in Pompeji bereits eine christliche Gemeinde gegeben.

Er öffnete einen Türflügel, trat hinaus. Wie spät mochte es sein? Die Luft war ihm zu kühl, um sich draußen auf den Stuhl zu setzen. Seit zwei Wochen waren die jungen Männer von Gello nicht mehr erschienen. Mario hatte in der letzten Zeit, bevor er ans Meer fuhr, den ganzen Tag an seinem Haus am Ortsrand gearbeitet; er war es immer gewesen, der die Jungen zu einem Spaziergang animiert hatte. Sergio besaß jetzt sein Rennmaschinchen, mit dem er manchmal oben auf der Straße vorbeidröhnte; bei jedem Schlagloch jaulte der Motor auf. Davide war in einem Ferienlager der Gewerkschaft, Gianni spielte mit Sergio und Enzo Tennis, auf dem neuerrichteten Platz bei der Lederfabrik in Fibocchi. Ein paarmal schon hatte Mario ihn eingeladen – tatsächlich war Stefan schon lange nicht mehr vorbeigekommen –, den Neubau zu besichtigen, er war mit dem Innenausbau beschäftigt und meinte, im nächsten Sommer würden sie umziehen. Das Haus sei jetzt viel zu groß, daher werde er Vittorio zwei Zimmer überlassen. Im Sommer sei es in Arezzo nur schwer auszuhalten, die Hitze, die schlechte Luft, Vittorio und Eva würden dann so oft wie möglich nach Gello kommen.

Mit zwölf, dreizehn Jahren, bei einem nächtlichen Heimweg mit seinem Cousin von Filzmoos hinauf zum Bauernhof seines Onkels, hatte er zum ersten Mal den Sternenhimmel wahrgenommen und dann alles wissen wollen über Sterne und Weltraum. In seiner Umgebung hatte niemand ihm etwas Näheres darüber sagen können, so wie ihm niemand zufriedenstellend hatte erklären können, wie aus einem Samenkorn ein Baum wurde.

Auf dem Stuhl sitzend in den Himmel zu schauen war ihm jetzt auf einmal zu unbequem geworden, das Genick schmerzte, er ging ins Haus, befreite die Matratze von Leintuch und Decke, trug sie hinaus, zog sie die Steinstufen hinunter in die gemähte Wiese. Es fiel ihm ein, daß er sich früher am nächtlichen Himmel hatte orientieren können wie auf einer Landkarte. Jeder Abschnitt, wohin er seine Augen gerichtet hatte, jedes Sternbild war ihm vertraut gewesen. Alle die Namen hatte er vergessen, bis auf einige Sternbilder, die jeder kannte.

Hatte das rhythmische Zirpen der Grillen, das Ratschen der Zikaden ihn eingeschläfert? Als er aufwachte, waren die Sterne noch deutlicher zu sehen, die Milchstraße halb verdeckt von der Hügelkette im Osten. Er beschloß, nicht mehr auf die Sternbilder zu achten, die ohnehin wegen des stärker sichtbar gewordenen Hintergrunds nicht mehr so deutlich zu sehen waren – größere und kleinere und nadelstichfeine Sterne, die aus der Tiefe des Raumes blinkten, sondern einfach diese Sternennebel, die Dunstschleier aus Millionen von Sternen auf sich wirken zu lassen, und er stellte sich eine Welt ohne Sonne vor, in der dann auf der Erde ewige Finsternis und Schwärze herrschte, andererseits immerwährende Präsenz des Sternenhimmels. Manchmal lenkte eine über den Himmel flitzende und verglühende Sternschnuppe seinen Blick in eine andere Region des Firmaments. Einerseits erweckte das Sternengeflimmer über ihm beinahe den Eindruck von etwas Lebendigem, jedenfalls in Bewegung Befindlichem, auch wenn er wußte, daß die Milchstraße – und damit auch Mora und er selbst – mit hoher Geschwindigkeit durch den unvorstellbaren Raum rasten, andererseits schien ihm plötzlich der Blick in die Tiefe des Weltraums zu erweisen, daß außerhalb des Sonnensystems alles tote Materie sei, womöglich gab es nicht einmal in Eis eingepackte Mikroorganismen. Dieser unser Planet war der einzige belebte, er auf seinem Aussichtspunkt das einzige Lebewesen gegenüber diesen unvorstellbaren Abgründen von Raum und Zeit, und plötzlich die Vorstellung des Nicht-mehr-Seins, der absoluten Vernichtung seiner selbst, der winzigen Zeitspanne eines Lebens und dann ewig schwarze Nacht. Unendliche Reproduktionen von Formen des Lebens, von der simplen Zelle bis zum menschlichen Gehirn, während einer – vom Urknall aus gesehen – winzigen Zeitspanne, dann wieder alles Staub und Versteinerung. Andererseits war es unwahrscheinlich, daß sich im Universum bloß auf einem einzigen

Punkt etwas wie *Leben* entwickelt hätte. Warum hob sich beim Betrachten des nächtlichen Himmels nicht mehr wie früher seine Stimmung, steigerte sich manchmal ins Euphorische, die Gewißheit, alles sei gut, irgendeine göttliche Macht hinter den Erscheinungen? Er schaute auf die Hügelkuppe im Norden, deren Umrisse er mehr ahnte als sah, und sah auf der Höhe der Straße, die zwischen Weingärten und Olivenhainen nach Gello Biscardo führt, einen Lichtpunkt, sah das Scheinwerferlicht eines unhörbaren Autos vorüberziehen, immer wieder unsichtbar, wenn ein Wäldchen oder eine Wegbiegung den Wagen verdeckte.

Nicht vor dem Tod hatte er sich gefürchtet. Es war dieses Fallen ins …

Auf einmal hatte er beim Schauen in den nächtlichen Himmel einen ungeheuren Sog verspürt. Der Ausschnitt des sichtbaren Universums schien sich genähert zu haben, die unbegreiflichen Räume und die unvorstellbaren Zeiten waren ihm in den Sinn gekommen, und damit die völlige Bedeutungslosigkeit der vorübergehenden Erscheinung Mensch, ein Augenzwinkern, nicht mehr, und auf einmal hatte er gespürt, wie es ihn hineinzog in die Sternenschauer, unwiderstehlich in die Tiefe des Raums.

Kein Gedanke an Zukünftiges wäre ihm möglich gewesen in diesem Moment. Alle Sicherungen, die er wie jedermann entwickelt hatte, hatten sich aufgelöst. Als wäre auf einer Wanderung im Hochgebirge durch Felsstürze vor und hinter seinen Füßen plötzlich alles weggebrochen, und er verliere das Gleichgewicht. Wenn nichts Außergewöhnliches geschah, war sein Sterben noch in weiter Ferne, vierzig Jahre konnte er noch leben, vielleicht länger. Es war kein angenehmer Gedanke, daß sein Leben, so wie jedes andere, begrenzt war – aber, so dachte er, damit kann ich mich später beschäftigen; und ihm fiel ein, daß Heinrich einmal etwas Ähnliches geäußert hatte.

Das traumatische Erlebnis, der Sturz vom Fahrrad bei Maria Plain einen steilen Hang hinunter, als er mit vierzehn Jahren mit dem Rücken auf eine Felsplatte prallte und keine Luft mehr bekam, am Ersticken war. Das hatte wahrscheinlich bloß einige Sekunden gedauert, wenn es ihm auch sehr lange vorgekommen war. Der Schrecken der Nacht neulich hielt viel länger an. Vor zwei Tagen noch hatte er gefürchtet, er könne ihn jederzeit wieder heimsuchen. Mehrmals war er nahe daran gewesen, alles in Mora liegen und stehen zu lassen, heimzufahren, und nur aus Rücksicht auf Heinrich (der ja möglicherweise in jener Nacht gar nicht mehr lebte), verschob er es. An einem Tag fuhr er dreimal nach San Giustino und wählte in der Bar Heinrichs Telefonnummer. In der Nacht damals, als er sich nicht hatte beruhigen können, griff er nach dem Rand der Matratze, berührte den Wulst der Kante, fuhr mit der Handfläche auf und ab. Das erleichterte ihn: Es gab also noch etwas, das ihm geblieben war, sich nicht verändert hatte ... Höllensturz oder Fall in eine Vorhölle waren wahrscheinlich irreführende Bilder, denn leichter als die Schwärze, das ›Nichts‹, wäre sicherlich eine Art von Hölle zu ertragen: Die überlieferten Höllen-Bilder glichen wenigstens Bildern aus dem menschlichen Leben. Nie war ihm in den Sinn gekommen, wie dünn das Eis war, auf dem man so selbstverständlich herumspazierte ...

Dahin gelangen: dem Nichts unerschrocken ins Auge blicken können; vollkommen klar zu sehen, daß das Ende unserer Existenz unausweichlich ist, daß sie nicht mehr lange dauert (wie schnell sind die letzten zehn Jahre vergangen!). Daß die Auslöschung endgültig sein wird, daß wir ohne Tröstungen auskommen müssen. Zu Staub sollst du werden: Die Menschen haben es immer gewußt. Der

Staub meiner Knochen, dachte er, wird sich schließlich vermischen mit anderer Materie, und so wird auf irgend eine Weise irgend etwas von uns *ewig* weiter existieren. Die Vorstellung – wo hatte er das gelesen? bei Goethe, bei Angelus Silesius? –, die Natur sei *vergottet*, war schön, aber wo konnte man ihr noch nachträumen? Sein Fühlen manchmal, er sei mit den Bäumen, mit den Hügeln von Mora verbunden, war wohl eine Einbildung; die Bäume nahmen ihn vielleicht sogar wahr, aber er wäre ihnen fremd, fremder als Hagelsturm, Feuer und Frost.

Ein paar Tage danach hatte er sich abends wieder hinaus getraut, hatte den Stuhl wieder in die Wiese gesetzt, nachts jedoch den Blick zu den Sternen vermieden. Davor war er jeden Abend nach San Giustino gefahren, war in der Bar gesessen, hatte ferngesehen, Wein getrunken.

Er unterbrach die Lektüre des kleinen Romans von Pratolini, holte die Karte der Provinz Arezzo aus seinem Zimmer, breitete sie auf dem Tisch draußen aus, suchte den Ursprung des Arno in den Bergen des Casentino, und fand den Capo d'Arno am 1658 Meter hohen Monte Falterona. Als er dem Verlauf des etwas weiter östlich entspringenden Tiber folgte, verlor er ihn nördlich von San Sepolcro, er mündete in einen kleinen See an der Autobahn nach Cesena, aber erst mit der Lupe sah er den weiteren Verlauf, der Tiber überquerte die Grenze nach Umbrien.

Der Erzählton des Autors hatte ihn verzaubert, auch die Unterbrechung der Lektüre hatte ihn nicht herausgerissen aus dem Florenz der dreißiger und vierziger Jahre. Im Vorwort las er, daß es sich um einen autobiografischen Text handle, Pratolini habe diese Geschichte über seine Beziehung zum viel jüngeren Bruder Ferruccio kurz nach dessen Tod im Jahr 1945 geschrieben. Nachdem die Mutter bei der Geburt Ferruccios starb, hatten die Brüder einander jahrelang nicht gesehen, obwohl beide in Florenz lebten. Erst mit dreiundzwanzig Jahren begegnete Vasco seinem sechs Jahre jüngeren Bruder wieder, sie wurden Freunde. Ferruccio, von labiler Konstitution, zog zu ihm. In den vierziger Jahren heiratete er, fand in der Ehe kein Glück, zog zuletzt, nach der Befreiung von der deutschen

Besetzung, wiederum zu seinem Bruder Vasco, der nun in Rom lebte.

Stefan blätterte in dem Nachwort des Romans, begann an einer Stelle zu lesen: 1913 war der Autor in einem damals noch mittelalterlichen Viertel von Florenz geboren worden, in der Via dé Magazzini. Er dachte, wenn ich das nächste Mal nach Florenz fahre, werde ich diese Straße suchen und mir die Tafel an dem Geburtshaus ansehen.

Als sich in der Dämmerung oben auf der Straße aus Richtung Gello langsam ein Auto näherte, begann sein Herz wild zu schlagen, doch es fuhr vorüber. Mario war mit den beiden Buben nach Cesenatico gefahren; telefonieren konnte er jedoch vorläufig noch abends in seinem Haus: Lena machte im Postamt von Castiglion Fibocchi Urlaubsvertretung. Am Vormittag war er wieder einmal mit der Baumschere Schritt für Schritt den Weg hinauf gegangen, hatte hereinwachsende Ginster- und Dornenzweige beschnitten, von den Terrassen heruntergekollerte Steine aus den Fahrspuren entfernt. Das hat alles keinen Sinn, dachte er auf einmal … Auf dem Mittelstreifen wuchsen Glockenblumen und Johanniskraut hoch übers Gras hinaus. Jetzt saß er vor dem Haus und beobachtete, wie sich von Norden eine schwarze Wolkenwand heranschob. Gleich mußte er mit dem Kochen beginnen; die Vorbereitungen, das Zerkleinern des Gemüses vor allem, würde er in der Küche treffen müssen. Obwohl die großen Rodungsarbeiten und die wichtigsten kleineren Reparaturen am Haus getan waren – abgesehen davon, daß alle paar Tage neue Probleme auftraten – waren die Tage immer noch ausgefüllt. Er hatte in Fibocchi eine billige Liege gekauft, sie zuerst einmal in der Wiese aufgestellt und darauf eine Stunde gelesen. Es begann zu tröpfeln, er putzte im Wassereimer die Karotten, den Sellerie, die Paprika und Zucchini, hockte sich dazu ins Gras. Die Fenster klirrten im Wind; die länglichen Scheiben waren bloß von oben in die Nuten des Rahmens hineingesteckt, nicht verkittet; brach eine Scheibe, wie vor einigen Wochen während eines Gewitters, war sie rasch ausgewechselt. Kaum war er wieder in der Küche, um eine Weinflasche zu öffnen, begann es heftig zu gießen. Das Geräusch der aufs Ziegeldach prasselnden Regengüsse tat ihm wohl. Regnete es nachmittags, legte er sich meistens hin. Er konnte ohnehin nichts anderes tun, und hörte dem Plätschern auf dem Dach zu. Nachts bewirkte das Glukkern und Rinnen, daß er leichter einschlief; das Rieseln in den Blättern der Esche – manchmal empfand er das ungleichmäßige Auftreffen der verschieden schweren Regentropfen auf den Dachziegeln als eine Art von Musik … Mitunter wachte er dann mitten in der Nacht auf und lauschte dem Tröpfeln und dem Ablaufen des Wassers in der leicht abfallenden Rinne entlang der Hausmauer nach. Bei einem Gewitterregen hörte es sich an, als fließe unter dem Fenster ein Bächlein. Da das Dach nicht mit Abflußrinnen versehen war und die an der Dachkante vorstehenden halbrunden Deckziegel unregelmäßig abschlossen, lief das Wasser in unterschiedlichen Reihen ab; schaute er während eines Gewitterschauers aus dem Küchenfenster, sah er die Landschaft wie durch einen mehrschichtigen Perlenvorhang. Jetzt aber näherte sich ein Donnergepolter. Plötzlich blies der Wind die Flamme des Gaskochers aus. Er nahm das Brett vor dem Küchenfenster herein und schloß das Fenster; gleichzeitig hörte er es im Vorzimmer herunterplatschen, wieder die Stelle, wo es schon im vorigen Sommer hereinregnet hatte; in den beiden anderen Räumen war das Dach derzeit dicht. Die Läden auf der Nordseite klapperten, die eingemauerten Angeln lockerten sich immer wieder. Er trat vor die Tür. An der Hausmauer krabbelte eine endlose Schar von Ameisen hinauf zum Dach. Es erforderte Geschick, das Nudelwasser in der Hocke abzugießen, ohne daß Nudeln ins Gras rutschen oder er sich eine Hand verbrühte. Nach dem Essen legte er sich hin und dachte an zuhause, an Bücher, die er jetzt gerne bei der Hand hätte, an eine seiner vielen Wanderungen durch die Glasenbachklamm. Ihm fiel ein Tag in jenem strengen Winter vor einigen Jahren ein, damals, als er in den Semesterferien fast jeden Tag im Bus bis Glasenbach gefahren war und die Klamm durchwandert hatte. Der kurvenreiche Weg entlang dem zugefrorenen Klausenbach war nach einer Dreiviertelstunde, auf der Höhe der Fundstelle einiger um die Jahrhundertwende im Bachbett entdeckten Skelettstücke eines Fischsauriers, völlig vereist. Auf einer Schautafel am Wegrand war das gesamte rekonstruierte Skelett dargestellt; das delphinartige Tier wird sich in dem Meer, das sich vor ungefähr zweihundert Millionen Jahren im Salzburger Bekken erstreckte, getummelt haben. Der Gedanke an die vielfältigen Lebensformen auf der Erde, unendlich lange vor dem Erscheinen des Menschen, erregte ihn jedesmal. Durch die vom steilen Hang bergseitig herunterfließenden Bäche und Rinnsale war der an dieser Stelle verbreiterte Weg auf eine Strecke von mehr als hundert Metern eisig, ohne Stellen, an denen man zwischendurch hätte Halt finden können.

Zu Heinrich hatte er gesagt, er komme in Mora ohnehin nicht zum Wandern, es gebe immer etwas zu tun. Kaum glaubte er, sich endlich für einen halben Tag zurücklehnen zu können, entdecke er im Schlafzimmer an der Wand schlecht verputzte Stellen, in denen sich bereits wieder alle möglichen Kleintiere eingenistet hätten, zum Beispiel hellbraune Tausendfüßler, die er nur in der Nacht auf den Wänden bemerke, wenn er mit dem Licht der Taschenlampe, weil er etwas gehört hatte, in die Küche gehe. Sie seien – wenn sie Gefahr witterten – auf einmal so flink, daß er mit Kehrschaufel und Handbesen noch keinen erwischt habe. Oder schwarze kleine Tierchen, die bloß ihre Beine, die wie Greifarme oder Zwicker aussehen, ein wenig aus den Löchern herausragen ließen, als lauerten sie auf vorbeikommende Insekten oder anderes Kleingetier. Er sei bei der Ankunft Ende Mai so froh gewesen, die Räume mit Kalk ausgemalt zu sehen, daß er nicht genau hingeschaut habe; er müsse sich Moltofill besorgen und die Ritzen und Löcher damit ausfüllen.

In der abfallenden, leicht geschwungenen Gasse, in der sich Heinrichs Haus befand, Mauer an Mauer zwischen anderen Häusern, war kein Mensch unterwegs. Sein schmales Haus mit den drei Geschoßen überragte die beiden benachbarten; sein oberstes Stockwerk glänzte im Licht der Sonne, sonst lag die Gasse im Schatten. Er blickte auf die Uhr: fast halb sieben. Jetzt, dachte Stefan, müßte Heinrich zuhause sein; in den vergangenen acht Tagen hatte er mindestens dreimal versucht, ihn anzurufen. Im Nachbarhaus goß eine zahnlose alte Frau mit einer kleinen Gießkanne den am Fensterstock stehenden Geranienstock. Ihr Blick folgte ihm. Nachdem er den eisernen Klopfer an Heinrichs grüngestrichener Doppeltür betätigt hatte, rief sie ihm mit heiserer Stimme zu: »Il professore è morto … La Signora Selina fors' è …«, der Rest unverständlich – ein Wort hatte wie *cimitero* geklungen.

»Scusi Signora …«, rief er – zu spät, sie hatte das Fenster geschlossen. Er schlug noch einmal mit dem Klopfer an die Tür.

Der Friedhof lag auf der anderen Seite des Ortes. Stefan kürzte den Weg ab, indem er in die nächste Gasse linkerhand abbog und fand sich nach hundertfünfzig Metern in einer sich verengenden Sackgasse; die verwahrlosten Häuser auf beiden Seiten schienen unbewohnt. Gegen Ende zu lagen alte Weinfässer kreuz und quer herum, als seien sie von der Ladefläche eines Fahrzeugs gefallen, versperrten den Weg. Ein alter Mann mit einer Wollmütze schlug mit Hammer und Meißel die rostigen Eisenreifen von einem Faß, und Stefan fiel plötzlich auf, daß er die Hammerschläge nicht hörte. Er kehrte um und dachte für einen Moment, das muß ich Heinrich erzählen. Sicherlich hatte er falsch verstanden und Heinrich war im Krankenhaus. Nie mehr die schmale Holztreppe im winzigen erdgeschossigen Vorraum hinaufsteigen, nie mehr auf dem Halbstock aus dem hohen schmalen Fenster in den Garten und auf die fernen Hügel schauen können?

Am Eingang zum Friedhof, wo sie eine Gießkanne auf einer Bank neben andere Kannen stellte, stieß er auf Selina. Ihre rechte Hand, die sie gerade am Hosenbein abwischte, erstarrte, als Stefan herantrat und die Hand zum Gruß hob. Er konnte nichts sagen. Sie griff nach seinem Arm: Wo er gewesen sei in den letzten Tagen? Sie habe sich am Freitag nach Mora fahren lassen, das Telefon in Gello habe niemand abgehoben. »Heinrich ist am Dienstag gestorben. Gestern ist er beeerdigt worden, hier in Pontenano, wie er es sich gewünscht hat … Morgen kommt Erich und holt mich ab.« Er erwiderte, er sei immer dagewesen, bloß am Mittwoch in Arezzo, und manchmal einkaufen in Fibocchi oder Giustino.

»Gehen wir«, sagte sie mit heiserer Stimme und nahm seinen Arm, während sie sich dem Haus näherten. Sie sagte, sie sei dabei, einige Sachen zusammenzustellen, die sie mit nach Düsseldorf nehmen würden. Wie betäubt hörte er sie reden.

»Erich wird wahrscheinlich verkaufen wollen. Die Entfernung ist zu groß, um das Haus zu nutzen. Länger als eine Woche kann er nicht weg von seiner Arbeit im Steuerberatungsbüro ... Aber so schnell wird das nicht gehen, nehme ich an ... Du kommst doch wieder nächstes Jahr? Es wär im Sinne von Heinrich, er hat immer wieder erwähnt, wie froh er ist ... Also ich kann jetzt sowieso nichts entscheiden, will gar nicht daran denken; wir können kein Italienisch; ich weiß nicht einmal, was für Steuern und Gebühren zu zahlen sind. Ich muß diese Ordner zuhause einmal mit einer Bekannten in Ruhe durchsehen ... Heinrich hat gesagt, der italienische Staat werde immer unverschämter im Kassieren von Steuern, vor allem ausländische Hausbesitzer würden immer stärker belastet.«

Im Eßzimmer fand er sich kaum noch zurecht. Der Tisch war in die Mitte gerückt worden, darauf Schachteln, Mappen und Hefte, verschnürte Briefbündel, Keramikkrüge, Bücher. Auf dem Boden Kleinmöbel, der schöne Spiegel mit dem vergoldeten Rahmen, Bilder, eine Mini-Stereo-Anlage.

»Möchtest du dir oben ein paar Bücher aussuchen und mitnehmen?« fragte sie. Erst jetzt, als er die Sachen auf dem Tisch und auf dem Boden liegen sah, begriff er, daß Heinrich nicht mehr war.

»Du trinkst doch einen Kaffee?«

Den Kunststoffsack mit den drei Büchern, die er Heinrich zurückbringen hatte wollen, stellte er vorerst an einem Tischbein ab und folgte ihr in die Küche. Hunderte Leute aus dem Dorf seien beim Begräbnis gewesen, sagte sie, Partezettel hätten sie keine drucken lassen können. Im Gemeindeamt habe man nicht gewußt, ob jemand aus

Deutschland komme, und habe das Begräbnis einfach festgesetzt. Alessandro habe schließlich das Telefonverzeichnis Heinrichs entdeckt und in Düsseldorf angerufen. Am selben Abend sei sie in den Zug nach Florenz gestiegen. Rosa habe Heinrich gefunden, am Mittwochvormittag. Auf einmal, nachdem sie mit einem kleinen Löffel Kaffee in die Filtertüte gefüllt hatte, drehte sie sich um und umarmte ihn mit einem Schluchzer. »Ich wollte doch einmal zu Fuß über die Hügel nach Mora spazieren …« Er streichelte ihren Rücken, spürte den Verschluß ihres Büstenhalters unter der rauhen Wolle ihrer sandfarbenen Weste. Dann wich die Schwere ihres Körpers einer Starre, sie strich ihm mit einer Hand über die Wange. »Erich und ich sind übereingekommen, es noch einmal zu versuchen miteinander …, ich weiß nicht …, ja nun.«

Als sie am runden Tisch in der Küche saßen, fragte sie ihn, ob es einen zweiten Schlüssel für Mora gebe. Mario habe einen, erwiderte er, er müsse in ein paar Tagen zurückkommen aus Cesenatico, und fragte sie, ob er seinen Schlüssel bei ihm hinterlegen solle. Der uralte Kühlschrank fiel ihm auf, auch die desolaten, schlampig gestrichenen Küchenschränke. Als er ihr anbot, sie wohin immer im Auto zu fahren, erwiderte sie, Alessandro sei ja hier, und am nächsten Tag schon werde Erich eintreffen.

»Wir bleiben jedenfalls in Verbindung, ja?«, sagte sie, als er sich verabschiedete. Er notierte auf einem Zettel seine Salzburger Adresse und sagte, er müsse noch einkaufen und werde das rasch in Pontenano erledigen. Ein Windstoß hatte eine Tür im Haus zugeworfen. Vor der Innenseite der Haustür umarmte sie ihn; er streichelte ihren Rücken, verlor beinah das Gleichgewicht, weil er mit den Fußspitzen auf der Matte stand; sie küßte ihn kurz, ehe sie ihn losließ und »ciao« flüsterte. Auf dem Weg zum Auto zerstoben leichte Tropfen auf seinem Gesicht. Ihm fiel ein, daß er ihr nicht kondoliert und vergessen hatte, sich wie angeboten einige Bücher auszusuchen. Und gedankenlos hatte er den Sack mit den mitgebrachten Büchern wieder mitgenommen.

Als er am Ende der Treppe angekommen war, streiften Blätter des Feigenbaums sein Gesicht. Einer der Äste verwehrte den Zutritt zur halb geöffneten Tür. Als er ihn ergriff, um ihn zur Seite zu drücken, und er sich nicht biegen ließ, wechselte er in den Halbschlaf. Durch den südlichen Wald war er heraufgekommen. Beim Soldatendenkmal unten neben der Straße hatte der Fahrer des Busses angehalten. Er hatte den Rucksack gepackt und war ausgestiegen. Links vom Soldatendenkmal der schmale Einstieg, der Beginn des Fußwegs, der durch den Wald herauf nach Mora führte. Wenn er vom Weg, diesem meist nur im Spätherbst begangenen Jägersteig abkam, würde er sich verirren und im Wald nächtigen müssen. Hatte er nicht von Mora aus einmal versucht, den Verlauf dieses Pfades zu erforschen, und war nach ein paar hundert Metern im undurchdringlichen Gestrüpp nicht mehr weitergekommen? Bevor er in den Wald hineinging, orientierte er sich: Dort oben zwischen den beiden Hügelkuppen mußte Mora liegen. Ob es ihm gelang, während des Aufstiegs die Richtung beizubehalten? Er konnte nicht schätzen, wie lange er unterwegs sein würde, bis er, wenn er Glück hatte, irgendwann über verwilderte Terrassen die hintere Hausmauer würde vor sich aufragen sehen. Während er zügig voranschritt, stellte er sich die Ankunft vor. Die Tür unverschlossen, nichts Wertvolles befand sich im Haus, höchstens die am Dachbalken hängenden Pfannen und Töpfe … Wieviele Jahre war das her? Auf einmal gings nicht mehr weiter. In welche Richtung er blickte und die Hände ausstreckte: undurchdringliches Gestrüpp. Von sehr ferne war Hundegebell zu hören. Ein paar Schritte zurück und er war wieder auf dem Weg, witterte entfernten Brandgeruch und dachte, jemand verbrennt gemähtes Gras und Gesträuch. Er kam ins Freie, es begann zu dämmern. Bei jedem Schritt kratzte oder riß die Macchia an den Hosenbeinen. In Gello hatten sie von Wölfen erzählt, die sich manchmal von den Abruzzen herauf verirrten. Wie würde das Haus aussehen? Er bildete sich ein, den Bach zu riechen, er mußte nahe sein. Mehrmals hatte er sich unterwegs geschneuzt, der Gestank der vielstündigen Bahnreise, der Autobusgestank war nicht mehr in der Nase, das heftige Atmen beim Aufstieg hatte sie gereinigt. Jenseits des Baches, der sehr wenig Wasser führte, drang plötzlich Aasgeruch in seine Nase. Bis hierher, so schien ihm, war er, aus der anderen Richtung, schon einmal gekommen: Auf den Weg brauchte er jetzt nicht mehr zu achten, er stieg durch hüfthohe Gräser den Hang hinauf, drängte sich durch Gestrüpp; schließlich stand er auf der ersten Terrasse, strich mit der Hand über die Rinde eines Olivenbaumes. Der dunkle Fleck dort oben zwischen den Bäumen, war das schon das Haus? In der Dämmerung stolperte er über einen Sandhaufen, sah Baumaterialien auf der Wiese, Stöße von verpackten Dachziegeln. Vor der Treppe stellte er den schweren Rucksack ab.

Dann befand er sich plötzlich vor dem Haus der Marinis. Nardo kam gebückt aus einem seiner stinkenden Ställe und flüsterte ihm zu, daß er seine Hühner das Fliegen gelehrt habe; er öffnete eine Spalte des Drahtverhaues in dem umzäunten Areal, wo sie in der Erde scharrten, packte ein Huhn, indem er beide Beine mit der Hand packte, warf es in die Höhe …

Noch als er erwacht war, bildete er sich ein, den Hühnerdreck zu riechen.

Wäre ich doch hinaufgefahren, Anfang August, und hätte an deine Tür geklopft. Gehemmt hat mich, daß du dich im Juli sehr seltsam verhalten hast, als wir uns außerhalb von Pontenano zufällig trafen, neben dem Friedhof, wo der Blick weit ins Casentino hineingeht, hinunter in das Tal des noch schmalen Arno mit seinen karg besiedelten Hügeln, seinen Städtchen und Ortschaften. Du hattest mir einmal von dieser Aussicht so eindringlich erzählt, daß ich mich ebenfalls an ihr erfreuen wollte. Als ich es dir erklärte, blicktest du endlich freundlicher; du hättest gerade das Grab von Elio besucht, deinem Freund, den du im Sommer davor erwähnt hattest. Vier Jahre nach deiner Übersiedlung in die Toskana war er gestorben, der einzige Mensch in Pontenano, mit dem du wirklich hättest reden können. Elio habe im *liceo* von Rassina unterrichtet, die Sommer mit seiner Familie immer auf den Liparischen Inseln bei Verwandten verbracht, im Winter zeitweise unten in Rassina gewohnt, und so hättet ihr euch viel zu selten getroffen.

Wir unterhielten uns eine Weile, alle Vorübergehenden grüßten dich respektvoll. Ich erzählte dir, wie ich am Vormittag in Mora nach dem Aufhängen von Wäsche auf der Wiese mich umgedreht, der Frontseite des Hauses zugewendet hatte und wie mir zum ersten Mal auffiel, daß der vordere Teil von Mora ursprünglich als ein Würfel erbaut worden war, ein Haus wie Kinder es zeichnen, Quadrat und zwei schräge Striche fürs Dach. Irgendwann war der Vorderteil um die Küche erweitert worden, ein Zubau, der an der Front einen halben Meter vorstand, an den oberen Teil der Treppe anschloß und den Hauseingang beschattete. Jetzt verstünde ich auch, hatte ich gesagt, warum die Küche so niedrig sei, daß ich mit den Händen nach den Dachziegeln greifen könne.

»Ruf mich bald einmal an«, hast du abschließend gesagt, »du mußt wieder zum Essen kommen.«

Als ich mich ins Auto setzte, sah ich, daß der Tankanzeiger am Ende stand. Also ließ ich den Simca auf den weniger steilen Streckenabschnitten auf der Paßstraße im Leerlauf hinunterrollen bis Castiglion Fibocchi, und während der Tankwart mit Einfüllen und Ölkontrolle beschäftigt war, fiel mir ein, daß ich, obwohl ich es mir immer wieder vorgenommen hatte, dir nie gesagt habe, wie glücklich ich bin in Mora. Manchmal, wenn du in deinem Haus einen Band holen gingst, um mir eine Stelle vorzulesen, etwas aus den fiktiven Briefen von Petrarca oder den Dialogen des Erasmus, rief ich mir in Erinnerung, was ich mir dir zu sagen vorgenommen hatte, über die Waldheim-Affäre etwa, von der du in der *Repubblica* gelesen hattest, oder etwas über meine abendliche Lektüre, aber bis du dann wieder erschienst, hatte ich es vergessen. Vorgenommen hatte ich mir zu sagen, daß ich mich in solchen und ähnlichen Fällen immer frage, warum es so furchtbar schwer ist, sich und anderen einzugestehen, daß man sich geirrt oder schändlich gehandelt habe. Und mir war während der Fahrt auf der Paßstraße eingefallen, wie Mario in seiner Wohnküche einmal, während im Fernsehen eine Dokumentation über Mussolini zu sehen war, anfing, über Hitler zu reden: Ob es stimme, daß er einer der größten Männer in Deutschland gewesen sei. Wie ich darüber so verstört war, daß ich mit großer Mühe die Sätze zusammenbrachte, bloß um ihm aufzuzählen, welche Greuel durch Hitler und seine Anhänger weltweit geschehen seien und wie die Nachbeben dieser Katastrophe bis zum heutigen Tag sich auswirkten. Und sah, wie seine Augen vom Zwiebelschneiden vertränt waren, und beschloß, Vittorio in einem geeigneten Moment zu fragen, ob er eine Ahnung habe, wie Mario zu solchen Ansichten gekommen sei.

Jenen in dunkelblaues Leinen gebundenen sehr alten Band, einer Auswahl von Petrarcas fiktiven Briefen, hast du nie angeboten mir zu leihen. So wie ich manchmal vom Haus der Marinis berauscht von dem Glas Wein, das Nardo mir vorgesetzt hatte und von ihren Freundlichkeiten, den steilen Weg hinunter zur Straße hüpfte, mich heimisch fühlte wie nie zuvor, im Jetzt lebte, so fuhr ich nach den Besuchen bei dir in Pontenano beschwingt die kurvige Paßstraße hinunter, bog bei der Ortstafel von Gello Biscardo in die schmälere Straße ein, die nach ein paar Metern abenteuerlich steil in engen Serpentinen abfällt. Ich besitze noch den Zettel, auf dem ich mir das Motto in dem Petrarca-Band, eine Stelle aus dem Brief an Francesco Nelli abschrieb, während du dich für ein paar Minuten entschuldigtest: »Ich will, daß mein Leser, wer es auch sei, nur an eines denkt: an mich, nicht an die Verheiratung seiner Tochter, nicht an die Nacht bei der Freun-

din, nicht an die Intrigen seiner Feinde, nicht an Bürg-
schaften, nicht an sein Haus oder Feld oder an seine Geld-
kasse, und daß er, zumindest solange er mich liest, bei mir
ist. – Wenn ihm diese Bedingung nicht paßt, soll er von
diesen unnützen Schriften fernbleiben …«

Nie hab ich dir gesagt, wie viel mir die Bekanntschaft,
ich wage nicht zu sagen, Freundschaft, mit dir bedeutete;
das lag daran, daß ich – bei allem Wohlwollen deinerseits
– doch manchmal auch etwas Distanzhaltendes spürte;
erst bei meinem letzten Besuch ließest du etwas mehr
Nähe zu. Dann warst du plötzlich nicht erreichbar gewesen. Möglicherweise, so hatte ich mir überlegt, warst du,
weil Selina nicht locker gelassen hatte, nach Deutschland
gereist, um dich in einer Klinik gründlich untersuchen zu
lassen.

Vor allem entbehre ich schmerzlich deine Gegenwart,
um dir berichten zu können über meine Schreckensnacht
– das kann ja nur wenige Tage vor deinem Tod gewesen
sein –, jene Nacht, welche bewirkte, daß beinahe nichts
mehr so war wie vorher, daß ich mich abends nicht mehr
vors Haus zu setzen traute, sondern drinnen bei Gaslicht
las oder nach San Giustino hinunterfuhr und mich in der
lauten Bar, wo ein dauerndes Kommen und Gehen von
meist lärmenden jungen Leuten zu beobachten war, in die
Fernsehecke setzte und mir sagte: So lerne ich wenigstens
Italienisch. Dabei hatte ich nun in Mora einen bequemen
Stuhl zum Sitzen, zwei Stühle; auf den zweiten hatte ich
manchmal meine Beine gelegt. Jene mondlosen Nächte
ließen einen Blick in den Sternenhimmel zu, wie ich es nie
zuvor erlebt habe; die Milchstraße, das Zentrum der Gala-

xie schien zum Greifen nah; ich verstand gut, daß die Menschen seit Tausenden von Jahren von diesem Anblick fasziniert waren und versuchten, ihn zu transzendieren.

Nicht Trost hätte ich von dir erwartet; mein Erlebnis jemandem erzählen zu können, der mich versteht, da war ich mir sicher, hätte geholfen. Undenkbar, es Mario, Antonio, oder Nardo zu erzählen. Nicht einmal Vittorio – selbst wenn ich mich gut genug hätte ausdrücken können – hätte mich verstanden; vermutlich hätte er es mit einer sarkastischen Bemerkung abgetan. Am ehesten hätte ich mich, wäre sie wieder gekommen, wären wir uns noch einmal nah gewesen, Loretta anvertraut; schon sie zu umarmen, Leib an Leib ihre Haut, ihre Ja sagende Weiblichkeit zu spüren hätte mich ruhig werden lassen. Immer, wenn ich abends von der Straße herab Motorengeräusche näher kommen hörte, erhöhte sich mein Herzschlag.

In jener Nacht – ich war später noch einmal aufgestanden – wußte ich mir nicht anders zu helfen, als daß ich mich auf den Stuhl im großen Zimmer setzte, die Kerze (mit der ich vorher von einem Zimmer ins andere gegangen war, nachdem ich nicht einschlafen konnte, nachdem der Schrecken nicht nachließ) in der Küche auf den Kaminsims stellte und vor dem Kunstdruck, der auf dem Sims postierten Schutzmantelmadonna von Spinello, das Vaterunser flüsterte. Das hat tatsächlich geholfen, der Schreck; der mich lähmte und gleichzeitig zittrig machte, löste sich nach und nach. Ich schloß die Eingangstür von innen und legte mich wieder aufs Bett; diesmal schien es, als könnte ich, es war weit nach Mitternacht, Ruhe finden und einschlafen; dabei stellte ich mir vor, Loretta habe sich hereingeschlichen und neben mich gelegt. Eine Zeitlang hatte ich nachts die Tür unverschlossen gehalten, falls sie käme, obwohl wir beim Abschied in jener Nacht vereinbart hatten, sie solle oben dreimal hupen, und ich würde sie mit der Taschenlampe abholen. Nie wieder, hatte sie gesagt, würde sie diese *strada terribile* mit ihrem Wagen herunterfahren. In jenen Tagen waren die Nächte finster, und deshalb hatte ich ja auch den Sternenhimmel in einer Schärfe und Klarheit beobachten können wie nie zuvor, so daß ich mich hineinverlor und beinah nicht mehr zurückgekehrt wäre.

In der Früh nach diesem Erlebnis – es dauerte wahrscheinlich bloß einige Sekunden – schien sich alles verändert zu haben: das Gehen ums Haus herum, zum Brunnen um das Teewasser, die Bäume und Sträucher, alles schien mir seine Freundschaft – die ich mir eingebildet hatte – plötzlich zu verweigern, aufgekündigt zu haben. Als ich in einen der Ställe trat, um die Sense zu holen, stach ich mich an einem Dornbusch, den ich neben dem Eingang an der Hausmauer stehen lassen hatte, tief in den Daumen, sprang mir im dunklen Stall von dem dreibeinigen Tisch eine Maus auf die Brust, und dazu paßte, daß aus dem Rohr des Brunnens das Wasser bloß tröpfelte, als ich aufdrehte. Sobald die Sonne über dem Hügel erschien, lebte ich wieder auf. Die Angst war verflogen, die Irritation jedoch blieb, und ich fürchtete, mich von ihr nicht mehr befreien zu können ... Im Juni hatte mich beim Versenken in den Sternenhimmel einmal ein Glücksschauer erfaßt, plötzlich war ich mir gewiß, daß ein Bewußtsein, eine Wesenheit über uns oder unter uns existierte, unbegreiflich, und stellte mir vor, unser Geist sei Teil eines Geistwesens, und für einen Moment war ich mir sicher, in irgendeinem Sinn werde alles, was auf dieser Welt existierte, in anderer Form weiter existieren.

Wie froh ich gewesen war, im Sommer vor zwei Jahren, als du mir auf meiner ersten Reise ins Valdarno Mora gezeigt und mich am Abend in deinem winzigen Fiat zum Bahnhof nach Rassina gebracht hattest. Dein Angebot, ich möge mir Mora bewohnbar machen … Schon lange hatte ich mir nicht mehr vorstellen können, noch mindestens zwanzig oder fünfundzwanzig Jahre bis zur Pensionierung im Schuldienst zu verbringen, seit mir klar geworden war, daß meine Vorstellungen vom Unterrichten nicht mehr gefragt waren, seit ich im Kreis der meisten Kollegen bloß eine Art Sonderling geworden war. Leider hatte ich auch mit jenen wenigen, die etwa wie ich dachten, nicht reden können; kurz vor ihrer Pensionierung ließen sie sich auf nichts mehr ein. Für die Jungen gehörte ich jetzt auf einmal zu den *älteren* Kollegen. Bei den Schülern hatte ich den Spitznamen *Der Rotstift*, den eine Schülergeneration an die nächste vererbte.

Am Treppenabsatz hielt er inne. Wieder einmal hatte er übersehen, beim Hereinbrechen der Dämmerung Türen und Fenster zu schließen. Alles war still. Vor einer Stunde etwa, als er in der Küche Wasser trinken gewesen war, hatte er, hinaustretend, am Himmel einen Raubvogel beobachtet, einen Sperber wahrscheinlich, der lange Zeit reglos über dem Osthügel verharrte. Was bloß hatte er im Haus tun wollen? Über der Wiese kreisten lautlos flatternd, kaum sichtbar, einige Fledermäuse. Zu Lesen jedenfalls hatte er aufhören müssen, weil er die Zeilen kaum noch wahrnehmen konnte. Arktur und Wega waren bereits am Firmament zu sehen. Begann so früh die Verkalkung? In der Hand hielt er das *Selina*-Bändchen aus der Bibliothek Heinrichs, mit dem Zeigefinger zwischen den Seiten. Der Bleistiftstummel, den er auch als Lesezeichen verwendet hatte, war ihm beim Aufstehen vom Schoß gefallen und im Gras nicht mehr zu finden gewesen. Jetzt erinnerte er sich: Er hatte notieren wollen, daß er sich zuhause eine Ausgabe der Briefe von Jean Paul besorgte. Sonntag wäre ein günstiger Tag für die Heimfahrt, hatte er überlegt. Er mußte sich bei Fortunata erkundigen, ob Mario und seine Buben tatsächlich am Samstag aus Cesenatico zurückkehren würden. Ohne sich von Mario zu verabschieden, wollte er nicht heimfahren.

Neun Monate blieben noch von seinem Freijahr. Vorhin beim Lesen hatte er überlegt, ob die *Selina* sich als Unterrichts-Lesestoff eigne, und geschmunzelt über diesen unvermeidlichen Reflex. Vor Jahren hatte er es mit dem *Schulmeisterlein Wutz* versucht. So verstört war er neulich in Heinrichs Haus gewesen, daß er den Plastiksack mit den Büchern wieder mitnahm; Selina war es gar nicht aufgefallen. Hoffentlich war in dem Chaos im Eßzimmer nicht der Zettel, auf dem er ihr seine Adresse notiert hatte, verloren gegangen.

Von der Richtung des Bachs herauf zwitscherte zaghaft ein Vogel. Es fiel ihm ein, wie er im letzten Winter im Fernsehen eine Nestroy-Verfilmung aus den fünfziger Jahren gesehen hatte, und ein zufälliger Amselruf in dem Film, als der Schuster Knieriem auf einer Landstraße dahinwanderte (oder war es ein anderer der drei Gesellen?), ihn an Mora erinnert hatte, an den ersten Sommer, und wie das eine bohrende Sehnsucht in ihm geweckt hatte. Verweht war der Gong der Castellis zu hören. Er mußte auch Jean Pauls *Kampaner Tal* notieren. Alle diese Texte gab es sicher als Reclam-Ausgaben. Die *Selina* hatte ihn beim zweiten Lesen trotz vieler sprachlich eindrucksvoller Abschnitte wiederum irritiert, stellenweise auch ratlos gemacht, und er hatte überlegt, ob es hilfreich sein würde, das *Kampaner Tal*, die Vorstufe zur *Selina* zu lesen. Es hatte ihn erstaunt, wie sehr Jean Paul die Frage der Unsterblichkeit beschäftigt hatte. Der Autor hatte sich in der Erzählung als Jean Paul eingebracht in die Freundesrunde der *Selina*, und ließ nicht nach, dem jungen Gesandtschaftsrat Alex Argumente für ein Leben nach dem Tod nahe zu bringen. Alex, dem in dieser Disputierrunde die

Rolle des Skeptikers zugeteilt war. Die Gespräche fanden meist im Freien statt, auf Spaziergängen in schönen Gegenden mit Schlössern, Dörfern, fernen Gebirgen. Henrion, dem Geliebten Selinas, konnte der Autor bei seinem Eintreffen auf dem Landgut nicht mehr begegnen; er war kurz davor aufgebrochen, um am Freiheitskampf der Griechen teilzunehmen.

Ist *Selina* eine Erzählung, dachte er, ohne rechte Handlung? Ein Traktat, eine Art Predigt? Eine Mischung wohl. Manchmal hatte er beim Lesen an platonische Dialoge gedacht. Er fragte sich, ob das Schreiben der *Selina* für den Autor auch eine Art Selbstgespräch geworden war. In dem er die widerstreitenden, manchmal im Schreiben zu findenden, zu entwickelnden Aspekte, als wäre es ein Theaterstück, auf verschiedene Personen aufteilen konnte, die als die drei Altersstufen Jüngling, Mann, Greis auftraten. Am Ende geriet die Rede des Alex zu einer Verspottung einiger Theologen, die darüber debattierten, ob ein Verstorbener in seinem jenseitigen Leben allfällige Narben oder Verkrüppelungen beibehalten werde; einig waren sich diese Theologen, daß die im Jenseits weilenden Verstorbenen keinen Magen und keine Gedärme nötig hätten, keine Haare und Nägel, und keine *Milchgefäße*. Nach dieser Kritik des Jenseitsglaubens durch Alex, dem »Advokaten des Teufels« in der Freundesrunde, raffte sich das andere Ich Jean Pauls zu einer Verteidigungsrede in glänzender Prosa auf – um nach drei Seiten zu enden. Der Autor starb darüber, hatte die philosophische Beweisführung für die Unsterblichkeit der Seele nicht mehr leisten können. Er hinterließ jedoch eine Vielzahl von scharfsinnigen, unvergleichlichen Notizen. Wie, dachte er, war es möglich, daß Jean Paul, der als Satiriker begonnen und der Aufklärung nahe gestanden hatte, so besessen war von der Idee eines Weiterlebens nach dem Tod?

Sterblichkeit, *Vernichtung* – wie Jean Paul das nannte –, damit konnte Stefan sich abfinden, daran vermochte er, jedenfalls in der jetzigen Lebensphase, nicht zu zweifeln. Diese Notizen Jean Pauls im Anhang zur *Selina* jedenfalls würden ihn nun begleiten, damit war er noch lange nicht fertig.

Am Vormittag hatte er seine in Mora entstandenen Aufzeichnungen durchgesehen. Und hatte überlegt, im Winter, wenn er sie überarbeitet hätte, Selina eine Auswahl zu senden, um vielleicht in ihr die Sehnsucht zu wecken, wiederzukehren. Dann war ihm wieder eingefallen, daß er von ihr keine Adresse hatte, nicht einmal ihren Namen wußte er, um gegebenenfalls ihre Telefonnummer erfragen zu können.

Beim Hineingehen streifte eine Spinnwebe seine Stirn und erinnerte ihn an irgend etwas Vergangenes.